First published 2006 by Walker Books Ltd
87 Vauxhall Walk, London SE11 5HJ

Sous le titre : *Operation Typhoon Shore (book II)*

Text © 2006 Joshua Mowll

All illustrations © 2006 Joshua Mowll
except : Sujing warrior icon © 2006 Benjamin Mowll and used under licence.
All Doug MacKenzie sketches © 2006 Julek Heller.
Illustrations p. 22, p. 87, p. 91 (dépliant), p. 105, p. 168,
p. 286, annexe 2 © 2006 Niroot Puttapipat.

Photo permissions: Breathing helmet and signalling lamp (*Casque de mineur
et Fanal utilisé par Doug pendant la bataille*, annexe 4)
used by kind permission of the Lowestoft Maritime Museum.

Catalogage avant publication de Bibliothèque et Archives Canada

Mowll, Joshua
Les Aventuriers du Cercle

L'ouvrage complet comprendra 3 vol.
Traduction de: The Guild of Specialists.
Publ. en collab. avec Flammarion.
Sommaire: v. 1. Opération Zoridium -- v. 2. Opération Typhon.
Pour les jeunes.

ISBN-13: 978-2-7621-2718-8 (v. 1)
ISBN-10: 2-7621-2718-1 (v. 1)
ISBN-13: 978-2-7621-2749-2 (v. 2)
ISBN-10: 2-7621-2749-1 (v. 2)

I. Rigoureau, Luc. II. Titre.

PZ23.M72Av 2006   j813'.6   C2006-940063-6

Traduction française © Éditions Flammarion, 2006
Pour la présente édition © Éditions Fides, 2006
Publiée au Canada en accord avec Walker Books Ltd

OPÉRATION TYPHON

JOSHUA MOWLL

Traduit de l'anglais (Grande-Bretagne)
par Luc Rigoureau

FIDES

À ma mère et mon père.

INTRODUCTION

Note au lecteur

En février 2002, Joshua Mowll entra en possession d'un extraordinaire héritage, légué par son arrière-grand-tante, Rebecca MacKenzie : de fort vastes archives, composées de documents et d'objets qui avaient été conservés durant des décennies dans des chambres fortes aménagées au sous-sol du cottage de la vieille dame, dans le Devon. Les archives MacKenzie furent le point de départ du livre *Opération Zoridium*, publié en septembre 2005, après que l'auteur eut mené des années de recherches minutieuses.

Dans son ouvrage, M. Mowll reconstituait les aventures vécues en 1920 par la jeune Rebecca MacKenzie et son frère Douglas, à l'époque où ils avaient appareillé sur le bateau de recherche de leur oncle, l'*Expédient*, et s'étaient retrouvés mêlés aux activités d'une mystérieuse société secrète, le Cercle du Savoir. À la suite de cette publication, l'éditeur reçut nombre de courriers de lecteurs s'interrogeant sur la suite du destin des deux héros, ainsi que plusieurs demandes de sceptiques désireux de compulser d'autres preuves corroborant ce que certains d'entre eux jugeaient comme des événements « quelque peu tirés par les cheveux ».

Bien que M. Mowll eût proposé d'entrée de raconter l'histoire de ses aïeux en trois volumes, nous doutions que des archives supplémentaires existassent en quantités suffisantes pour alimenter un deuxième fascicule des péripéties de Doug et Becca. Par conséquent, nous prîmes contact avec l'auteur pour lui poser la question. Vous trouverez ci-dessous la réponse de M. Mowll.

Cher éditeur

Votre lettre ne pouvait tomber mieux! Vous n'aurez pas oublié que, lors de notre collaboration sur Opération Zoridium, seules trois des cinq pièces renfermant les archives de tante Becca au sous-sol de son cottage avaient été entièrement explorées. Si la cinquième continue à résister à mes efforts pour la fracturer, j'ai réussi à ouvrir la quatrième grâce à une masse (on ne fait pas plus délicat, n'est-ce pas?).

Je ne saurais vous décrire mon exaltation devant la richesse du matériau qu'elle renfermait, et dont la plupart portaient sur ce qui arriva à Becca, Doug et l'équipage de l'Expédient juste après la bataille de l'île de Wenzi, en mai 1920. Les dessins de Doug donnent un souffle de vie aux pages des journaux intimes de Becca; des cartes marines et des plans d'alors bruissent d'excitation à l'idée de voyages non encore narrés; la correspondance de la famille MacKenzie, dans un concert de chuchotis poussiéreux, supplie qu'on la relise; des ouvrages anciens et les dossiers de travail de tante Becca sont tout gonflés de la promesse de nouveaux secrets du Cercle et de merveilleuses découvertes scientifiques perdues; et des objets méticuleusement étiquetés jouent des coudes sur les étagères, avides de retrouver grâce aux yeux incrédules de l'Histoire.

Bien que porté à éprouver du ressentiment envers les insinuations de vos lecteurs quant à l'authenticité de mon récit – me croient-ils vraiment capable d'inventer tout ça? –, je suis contraint par mon allégeance héréditaire au Cercle de poursuivre mon entreprise de reconstruction.

Voici donc le deuxième volume. Où commençons-nous? Si je ne m'abuse, le capitaine MacKenzie venait juste de signaler une tempête à l'horizon…

Bien à vous

Joshua Mowll
Président du Cercle du Savoir

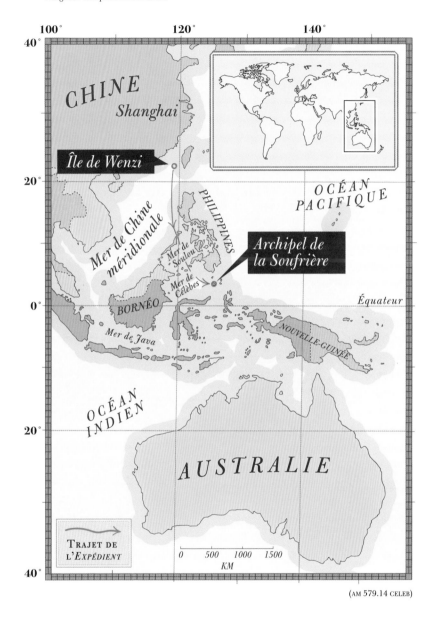

Carte générale
Théâtre des opérations – MER DE CÉLÈBES

(AM 579.14 CELEB)

Opération Typhon

Non seulement l'univers est plus étrange que nous l'imaginons,
mais il est plus étrange que nous ne saurons jamais l'imaginer.

Sir Arthur Eddington (1882-1944),
astronome anglais.

CHAPITRE UN

Coupure du *Shanghai Post*, 6 mai 1920.

UN TYPHON MEURTRIER FRAPPE LES CÔTES DE LA MER DE CHINE MÉRIDIONALE

DES CONDITIONS CLIMATIQUES INHABITUELLES POUR LA SAISON

◆

DE NOMBREUX APPELS DE DÉTRESSE

◆

ON REDOUTE CINQ NAUFRAGÉS

La tempête qui, hier, a ravagé la côte d'Amoy a forci jusqu'à se transformer en typhon avant de s'orienter au sud. Elle frapperait actuellement le cœur de la mer de Chine méridionale, d'où cinq bateaux ont déjà envoyé des SOS désespérés.

D'après les spécialistes, ces conditions météorologiques aberrantes se sont produites «beaucoup trop tôt dans l'année par rapport à la normale». Le capitaire

Cette nuit-là, le typhon avait choisi sa proie, et il était bien décidé à la mettre en pièces : un bateau endommagé, un égaré blessé au combat, pourchassé jusqu'à l'épuisement à travers la mer de Célèbes. Un brusque éclair illumina son nom, à la proue, NAVIRE DE RECHERCHE – L'EXPÉDIENT. Le vaisseau piquait du nez, donnait de la gîte à droite et à gauche, ballotté comme un bouchon de liège. Le cyclone était en train de gagner la partie. Depuis la veille, la trajectoire du bateau avait été incertaine. Le gouvernail, endommagé lors de la mission secrète sur l'île de Wenzi, avait fini par rendre l'âme. Désormais, l'*Expédient* ne se dirigeait plus qu'à l'aide de ses hélices, un exercice dangereux dans des conditions météo aussi mauvaises.

LA GOUVERNE
PAR HÉLICE

Sur un bateau à double propulsion hélicoïdale, les hélices sont situées à tribord et bâbord du gouvernail. Le navire peut alors manœuvrer sans qu'on recoure à la barre – il suffit de faire tourner une hélice plus vite que l'autre.

Le vaisseau franchit la crête d'une déferlante haute de neuf mètres, et Douglas MacKenzie, revêtu d'un ciré et coiffé d'un suroît qui lui donnaient l'air plus âgé que ses treize ans, agrippa le casier renfermant le compas de bord, vérifia l'accroche de sa ligne de sauvetage et serra les dents. Il avait déjà traversé des tempêtes, mais jamais d'aussi violentes. Le bâtiment sembla s'accrocher un instant au sommet de la vague, puis plongea en avant, et ses moteurs mugirent tandis que ses hélices perdaient leur prise. La coque pivota et glissa le long du mur d'eau comme sur le toboggan infernal d'une foire diabolique. Un vent implacable arrachait les mots de la bouche de qui avait encore le courage de parler.

– Descends… boisson chaude… fin de quart… brailla Ives, le bosco.

Doug tapota l'épaule de Xu, son camarade de veille.

– *Sujing Cha* ! hurla ce dernier en repoussant Doug au moment où une vague s'écrasait sur la superstructure.

– Qu'est-ce… que ça… signifie, au fait ? s'égosilla le jeune MacKenzie, hilare, en essuyant l'eau salée qui lui piquait les yeux.

Typhon ! DM. mai 1920

Cahier à dessins de Doug[1]. (CDM 2/99)

Xu colla ses lèvres à l'oreille du garçon et, la main en coupe, répondit :

– Ça veut dire : voilà une entreprise sacrément périlleuse !

Ils s'éloignèrent vers la poupe, le pas incertain, rendu presque dansant par les mouvements du navire. Une échelle les conduisit au deuxième pont. Doug avait vite compris qu'il s'agissait de l'endroit le plus traître du bateau. Chaque

---

1. Le croquis ci-dessus est extrait de l'un des cahiers à dessins de Doug MacKenzie. Il travaillait essentiellement à partir de ses souvenirs. Il est donc possible que les personnages et événements représentés diffèrent légèrement de ce qui en est narré dans le présent récit.

fois que des déferlantes passaient par-dessus l'étrave, un déluge d'eau écumeuse envahissait les coursives tribord et bâbord – des lignes de sauvetage avaient d'ailleurs été gréées au plafond. Les deux enfants calculèrent soigneusement leur trajet. Au raz-de-marée suivant, ils sautèrent et s'y suspendirent pendant que les cataractes tourbillonnaient sous leurs pieds. Lorsque l'eau s'évacua par les sabords, ils se laissèrent retomber et déguerpirent jusqu'à la cambuse.

– Fermez cette porte, pour l'amour du ciel ! s'écria Mme Ives.

La bourrasque qui avait accompagné leur entrée avait provoqué au-dessus du fourneau un nuage de fumée pareil à un génie s'échappant de sa lampe.

– Bonsoir, madame Ives ! lancèrent les gaillards.

– Ah ! c'est vous, sacripants ! Au menu ce soir, c'est conserves de harengs et biscuits secs. Rien de chaud...

Froid ou chaud, Doug n'en avait cure. Il aurait avalé n'importe quoi.

– ... Impossible de cuisiner, avec l'*Expédient* qui roule de tous côtés comme ça. Accrochez vos cirés à la porte. J'essayais justement de faire fonctionner ce bon sang de fourneau. Avec un peu de chance, nous devrions réussir à nous offrir une bonne tasse de chocolat.

Les garçons se glissèrent sur le banc coincé entre la table de bois brut et la cloison, le meilleur refuge pendant une tempête.

– D'après le capitaine, ça va mal, continua l'intarissable Mme Ives en vidant un seau de charbon dans le poêle. D'ailleurs, il s'apprête à jeter le submersible par-dessus bord. Dommage, mais bon, il sait ce qu'il fait.

– Quoi ?!

– Il a parlé d'un récif, du timon cassé... Sans compter une

voie d'eau dans les compartiments arrière. Cela explique pourquoi nous tanguons autant. Et maintenant, passez-moi la bouilloire...

Une deuxième bouffée de fumée s'éleva – Doug et Xu avaient déjà filé hors de la pièce et se ruaient à la poupe du navire, évitant de justesse un déluge d'eau salée.

Le hangar abritant le petit sous-marin de recherche était un rouf amovible serré entre la dunette et le poste de commandement, au sommet du navire. Les panneaux en avaient été retirés, exposant les flancs arrondis du *Galatie*. L'engin était posé sur un berceau à roulettes monté sur rails, qui permettait sa mise à l'eau. Neuf des hommes d'équipage bataillaient avec les lignes de sauvetage destinées à entraver l'appareil, qui semblait à deux doigts de se détacher.

Une nouvelle vague s'écrasa à l'arrière, balayant la superstructure. Doug agrippa un cordage et patienta, tandis que l'eau bouillonnait à hauteur de ses genoux. L'*Expédient* vacilla, puis se stabilisa et se dégagea. Le berceau du sous-marin craqua et gémit sous l'énorme poids de sa charge, qui tanguait au rythme de la tempête.

Doug repéra son oncle, le capitaine MacKenzie, qui affrontait le vent et la pluie diluvienne, le visage fermé. D'habitude, il se déplaçait avec une canne, mais là, il crochetait une élingue d'une main tout en faisant de grands moulinets avec l'autre.

– Doug! Xu! cria-t-il. Attrapez ce filin! Derrière Glouton!

– Ça s'annonce mal, capitaine! hurla ce dernier. Un troisième boulon vient de céder. Nous n'allons plus pouvoir le retenir!

– Chambois! brailla l'oncle MacKenzie. Sortez de là, nom d'une pipe!

Le navire donna de la gîte à tribord, et le berceau trembla en grinçant. La tête de Luc Chambois surgit de l'écoutille du submersible.

– Ça y est ! s'écria-t-il. J'ai le multiplicateur de molécules, capitaine !

Disparaissant dans le ventre du *Galatie*, le Français en ressortit aussitôt après, tenant précautionneusement son appareil à renforcer la résistance de l'acier. Avec l'aide de Charlie l'Aristo, il ne tarda pas à déposer son invention sur le pont. De la manche, il en essuya les cadrans mouillés d'eau salée.

LE MULTIPLICATEUR DE MOLÉCULES

Appareil inventé par Luc Chambois afin d'accroître la résistance des métaux en renforçant leur masse moléculaire. Il permit au sous-marin du capitaine de plonger à des profondeurs beaucoup plus importantes que celles habituellement atteintes par ce genre de vaisseaux.

(Voir également Livre I, chapitre 3, p. 58.)

– Sauvé ! murmura-t-il.

– J'aimerais en dire autant de mon sous-marin, marmonna l'oncle MacKenzie. La bouée et l'ancre sont-elles attachées ?

– Oui, capitaine.

– Glouton, vous ôterez la goupille au prochain tangage à tribord. L'embardée se chargera du reste.

L'*Expédient* se mit à rouler sur le flanc, et le *Galatie* suivit le mouvement, reculant dans un raclement de métal. Charlie s'écarta d'un bond mais dérapa sur le sol trempé et tomba à la renverse. Le moment était venu de libérer le sous-marin.

– Laissez courir les filins !

Le submersible dégringola le long du pont supérieur. Prenant une vitesse ahurissante en quelques secondes, il bascula par-dessus bord, aussitôt avalé par les flots furieux de la mer de Célèbes.

Le Galatie *tombe à l'eau. Cahier à dessins de Doug.* (CDM 3/06)

Par terre, Charlie glissa aussi, ses doigts cherchant désespérément une prise où se retenir, tandis qu'une déferlante
d'écume s'abattait dans le hangar ayant abrité le *Galatie*.

– Tenez! cria Doug au jeune homme en attrapant le
premier cordage à sa portée.

Il l'avait à peine lancé au matelot qu'il fut entraîné à son
tour sur la pente inclinée. Il tamponna Charlie, et tous deux
culbutèrent en direction des dalots.

– Pas ce filin, Douglas! s'époumona le capitaine. C'est
celui de la bouée! Lâche-le et dégage de là. Dégage, je te dis!

Le bateau se redressa, ce qui permit à Charlie de se relever
tant bien que mal. Malheureusement, Doug était carrément
couché de tout son long sur le filin. Fouettant l'air, celui-ci
s'abîma dans les vagues, embarquant le garçon avec lui. Les
autres eurent juste le temps de le voir battre des bras et des
jambes avant qu'il disparaisse par-dessus les plats-bords, où
la mer déchaînée l'avala.

Sous la surface, le tohu-bohu du typhon était étouffé. Doug agita les jambes avec frénésie, et il émergea, alourdi par le poids de ses vêtements. Pas très loin, il entendit et sentit les hélices de l'*Expédient* hacher rageusement l'eau. Les paroles de Xu lui revinrent immédiatement à l'esprit – «Voilà une entreprise sacrément périlleuse!» Les éclairs se succédaient à toute vitesse, illuminant le ciel plombé comme des lanternes chinoises, et le vent ululait. Avec un détachement surprenant, Doug se demanda s'il allait mourir. Après son récent emprisonnement aux mains du cruel seigneur de guerre et pirate Sheng-Fat, il avait du mal à croire qu'un accident aussi bête pût signer sa fin.

LE ZORIDIUM

Substance chimique extrêmement explosive, émettant une fumée bleue caractéristique en cas de déflagration.
Découverte avant la fission de l'atome, elle était dotée de pouvoirs plus puissants que ceux de n'importe quel autre explosif connu sur terre au début du XXᵉ siècle. Pendant qu'il détenait Chambois sur son île de Wenzi, Sheng-Fat l'obligea à concevoir et à fabriquer des torpilles au zoridium. Également connu sous le nom de Fille du Soleil.

Bringuebalé au gré des vagues, le garçon distingua, à une proximité torturante, le bateau encadré par la foudre. Ce qu'il avait toujours considéré comme un gros navire paraissait petit et vulnérable, sous les attaques de l'ouragan qui fouissait les plaies dont l'*Expédient* avait été meurtri, lors de l'assaut récent contre la forteresse de Sheng-Fat. Allait-on tenter de le sauver? Il n'y avait plus de canots de sauvetage à bord, car ils avaient été détruits par l'explosion de zoridium sur l'île de Wenzi. Le dinghy avait survécu, mais Doug savait qu'il serait balayé en un rien de temps sur une mer aussi démontée.

Soudain, à la lueur sinistre des éclairs répétés, Doug aperçut une silhouette qui s'enroulait dans un filin avant de se jeter à l'eau. Elle refit surface quelques

S'AMARINER : *s'habituer à la vie en mer.*

ARTIMON : *voile située à la poupe du bateau.*

AUSSIÈRE OU HAUSSIÈRE : *gros cordage utilisé pour l'amarrage ou les manœuvres.*

BANC DE NAGE : *banc sur lequel sont assis les rameurs.*

BARRE FRANCHE : *barre de gouvernail qu'on manœuvre directement à la main, sans l'aide d'une roue.*

BAU – MAÎTRE-BAU : *poutre transversale supportant le pont (par extension largeur maximale du bateau).*

BEAUPRÉ : *mât placé à l'avant d'un voilier, plus ou moins obliquement.*

BORDER : *raidir une écoute (cordage) pour aplatir la voile.*

BRASSE : *unité de mesure égale à la longueur des deux bras étendus (= 6 pieds, soit 1,83 m).*

CABESTAN : *treuil vertical.*

CALE – FOND DE CALE (VOIR SENTINE) : *espace situé entre le pont et le fond d'un navire.*

CAMBUSE : *partie du navire contenant les vivres.*

CARÈNE – ŒUVRES VIVES : *partie immergée de la coque d'un bateau.*

DALOT : *trou permettant l'écoulement des eaux.*

DÉRIVE : *aileron mobile empêchant un navire de dériver.*

DRISSE : *cordage servant à hisser une voile.*

ÉCOUTE : *cordage servant à border ou déborder une voile.*

ÉCUBIER : *ouverture permettant le passage de la chaîne d'ancre.*

ÉLINGUE : *filin passé autour d'un objet pour le hisser.*

EMBOSSER : *amarrer un bateau/mouiller avant et arrière.*

ENCALMINÉ : *privé de vent.*

ESPAR : *longue pièce rigide du gréement (mât, bôme, vergue, tangon, etc.).*

ÉTAI : *cordage tendu pour renforcer un mât.*

ÉTRAVE : *limite avant de la carène.*

FASEYER – FASEILLER : *battre au vent (voile).*

FOC (VOIR TRINQUETTE) : *voile triangulaire établie à l'avant d'un voilier.*

GÎTE – BANDE : *inclinaison latérale du bateau.*

GUIDE (D'ÉCOUTE, DE DRISSE, DE BEAUPRÉ, ETC.) : *système ou outillage servant à guider des pièces mobiles.*

HAUBAN : *câble ou cordage soutenant le mât.*

MARÉE DE MORTE-EAU/VIVE-EAU : *marée de faible amplitude/grande amplitude.*

MILLE NAUTIQUE : *unité de mesure égale à 152 mètres (soit 1° de latitude).*

MISAINE : *voile basse du mât de l'avant (dit mât de misaine).*

NŒUD : *1 nœud marin = 1 mille/heure = 1,85 km/h.*

ORIN : *cordage reliant un objet immergé à une bouée.*

PATARAS : *hauban (cordage) de poupe.*

PAVOIS : *partie de la coque située au-dessus du pont.*

POMPE DE CALE : *pompe servant à écoper la sentine.*

REFLUX – JUSANT : *marée descendante.*

RENVERSE : *changement du sens de la marée.*

RIDOIR : *système à vis pour tendre un cordage ou un câble.*

ROULIS : *balancement du bateau d'un côté puis de l'autre (voir tangage).*

SABORD : *ouverture munie d'un dispositif de fermeture étanche.*

SENTINE : *endroit de la cale où s'amassent les eaux.*

SEXTANT : *instrument mesurant la hauteur d'un astre au-dessus de l'horizon.*

SUROÎT : *chapeau imperméable dont le bord descend en arrière sur la nuque.*

TANGAGE : *balancement du bateau d'avant en arrière (voir roulis).*

TRAVERSIER : *amarre latérale.*

TRINQUETTE (VOIR FOC) : *foc le plus proche du grand mât ou de la misaine.*

---

2. Voir aussi Livre I, chapitre 1, p. 30.

instants plus tard, chevauchant une somptueuse monture d'écume blanche. Le garçon voulut agiter la main pour attirer son attention... et but la tasse. Il lutta pour ne pas couler. Son geste avait cependant suffi à son sauveteur pour le repérer. Il se lança vers lui au rythme d'un crawl régulier, malgré la houle furibonde qui le malmenait de tous côtés. Crachant, toussant et à demi aveuglé par les embruns, Doug battait des pieds aussi fort que possible pour résister aux courants menaçant de l'emporter. Peu à peu, l'autre se rapprocha. C'était Charlie. Puisant dans ses dernières réserves d'énergie, le jeune MacKenzie rua et griffa les eaux furibondes. Son ami l'attrapa par l'épaule.

– Ça... n-ne t-te... ressemble pas de... finir par le fond, Doug! lui cria-t-il à l'oreille. Tiens! Noue ce bout autour de toi, ils vont nous hisser à bord.

– Minute, papillon! Répétez voir un peu? Vous avez l'intention d'échouer cette baignoire rouillée sur ce caillou?

– Vous m'avez parfaitement compris, mademoiselle da Vine. Vous avez une meilleure idée?

T E N U E   D E   T E M P Ê T E

Vêtements de protection standard consistant en bottes de caoutchouc, ciré et suroît.

Depuis cinq jours qu'elle était à bord, Liberty da Vine avait réussi à se chamailler quotidiennement avec le capitaine. Elle était aviatrice et texane, pas forcément dans cet ordre d'ailleurs. Elle avait également été de ces otages qui s'étaient échappés des griffes de Sheng-Fat, et elle avait aidé Doug et Becca à tenir bon pendant leur court séjour sur l'île de Wenzi. Sa main gauche enturbannée d'un pansement rappelait sa récente mutilation – le pirate lui avait coupé l'auriculaire afin de l'ajouter à l'abominable collier d'ossements humains dont il aimait à se parer.

Le capitaine MacKenzie était en train de comparer une carte marine saisie sur la jonque du seigneur de guerre avec celle qu'il possédait de la mer de Célèbes. Il avait été obligé de la punaiser à la table, car la section arrière du poste de commandement était ouverte à tous vents après avoir reçu un boulet expédié par l'un des postes d'artillerie de Sheng. Sur la carte, une minuscule poignée d'îlots, l'archipel de la Soufrière, avait été entourée : il était évident qu'il était la prochaine destination de l'*Expédient*.

SHENG-FAT

Réputé pour son goût répugnant en matière de bijoux faits d'ossements humains, cet impitoyable pirate terrorisa la mer de Chine méridionale jusqu'à son assassinat sur l'île de Wenzi par son ancien complice, Julius Pembleton-Crozier.

– Évidemment, que j'ai une meilleure idée, s'emporta la jeune femme. Nous n'avons qu'à profiter de l'élan de la tempête.

– Celle-ci s'est pratiquement apaisée. Le bateau nécessite des réparations urgentes. L'arbre de l'hélice tribord est faussé et a chauffé ses paliers à blanc, le condensateur principal va bientôt nous lâcher, le gouvernail est endommagé, la pompe de cale est cassée. La coque est percée dans la salle des machines, il y a une inondation dans le magasin avant et un mètre vingt d'eau dans celui de l'arrière. Qui plus est, le cabestan est en mille morceaux, nous n'avons plus de radio pour appeler des secours, et les canots de sauvetage ont été mis en miettes. J'ai donc bien l'intention de m'échouer sur cette plage, à moins que vous ne préfériez gagner Bornéo, voire Mindanao, à la nage.

– Je nagerai jusqu'à Monaco s'il le faut ! Jamais, au grand jamais, vous ne me reprendrez à voguer sur cette vieille guimbarde.

– Un bateau, mademoiselle, il s'agit d'un bateau.

– Vous auriez mieux fait de nous ramener droit vers la civilisation, bon sang de bonsoir ! Les prisonniers de Sheng-Fat que vous avez libérés devraient être à l'hôpital, à l'heure qu'il est. Il y a parmi eux tout un tas de vieilles bonnes femmes, et vous les avez secouées, sur votre barcasse, comme Annie Taylor dans son tonneau ! Elles ont besoin de soins. *J'ai* besoin de soins !

– Mme Ives s'est occupée de ces gens. Je n'apprécie guère vos reproches, mademoiselle, d'autant que vous les proférez sur le pont de *mon* navire.

Au moment où Liberty quittait la passerelle comme une furie, Rebecca MacKenzie, la sœur aînée de Doug, entra en titubant. D'une main, elle plaqua sur sa poitrine les jumelles suspendues à son cou, avant de s'agripper à la table des cartes, de l'autre. Jamais elle n'avait été aussi fatiguée, mais ses yeux brillaient d'une ardeur étincelante. Ces dernières vingt-quatre heures, elle avait puisé au plus profond d'elle-même pour résister au sommeil, bien déterminée à ne pas se laisser abattre. Elle dénoua son suroît, repoussant sa tignasse brune et emmêlée par les embruns, puis tapota l'épaule de son oncle, qui se retourna.

– Quelles nouvelles, Rebecca ?

– La pompe de cale auxiliaire vient de rendre l'âme, elle aussi. Impossible d'écoper dans la salle des machines, maintenant. Nous prenons environ trente centimètres toutes les dix minutes. Nous coulons, capitaine. Oh, et Doug vous transmet ses excuses pour être passé par-dessus bord la nuit dernière. Il est désolé.

– Il peut l'être. Son amarinage laisse à désirer.

– Rocher en forme de champignon à tribord, à quinze heures, capitaine ! lança Vasto, un marin.

– Excellent ! Cela signifie que nous avons réussi à entrer dans le chenal qui devrait nous mener à l'île Australe. Elle renferme une anse protégée qui sera idéale pour ce que nous voulons faire. L'*Expédient* tiendra bien jusque-là. La carte de Sheng-Fat mentionne la base de Pembleton-Crozier sur l'île voisine, celle de la Soufrière, trois milles nautiques plus loin.

À droite, Becca vit les vagues se briser sur un récif distant d'un demi-kilomètre.

ANNIE EDSON TAYLOR

Le 24 octobre 1901, Annie Edson Taylor, institutrice de son état, fut la première personne à sauter dans les chutes du Niagara et à en réchapper.
Elle accomplit son défi téméraire dans un tonneau à saumure, dont on avait augmenté la pression intérieure jusqu'à 30 livres par pouce carré à l'aide d'une pompe à vélo, afin que la dame puisse respirer.
La légende rapporte que ses premières paroles, au sortir de son exploit, furent : « Personne ne devrait jamais recommencer. »

Photographie reproduite avec l'aimable autorisation de la bibliothèque publique des chutes du Niagara (Ontario).

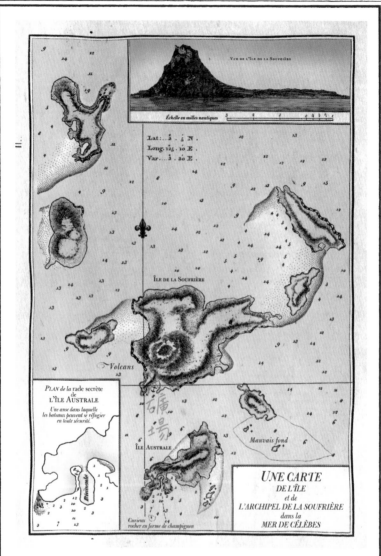

Échelle en milles nautiques

Lat:...5 . 4 N .
Long. 125 . 10 E .
Var....3 . 30 E .

ÎLE DE LA SOUFRIÈRE

Volcans

PLAN *de la rade secrète*
de
L'ÎLE AUSTRALE

Une anse dans laquelle
les bateaux peuvent se réfugier
en toute sécurité.

ÎLE AUSTRALE

Mauvais fond

Curieux
rocher en forme de champignon

UNE CARTE
DE L'ÎLE
et de
L'ARCHIPEL DE LA SOUFRIÈRE
dans la
MER DE CÉLÈBES

CARTE DE L'ARCHIPEL DE LA SOUFRIÈRE ÉTABLIE PAR SHENG-FAT

Cette carte fut saisie sur la jonque du seigneur de guerre, dans l'île de Wenzi. Elle
indique l'emplacement des fouilles archéologiques menées par Pembleton-Crozier
afin de retrouver le vaisseau antique mentionné par le pirate juste avant sa mort.
La carte de la péninsule en bas à gauche détaille l'étroit chenal de marée que
l'équipage de l'Expédient dut emprunter afin d'ancrer le navire dans la baie
cachée de l'île Australe. Les profondeurs sont indiquées en brasses.

– Herr Schmidt? appela le capitaine dans son tube acoustique.

– *Ja*, capitaine!

– Nous approchons de l'île. Les deux machines au ralenti en proue, s'il vous plaît.

– Machines au ralenti en proue! répéta la voix du Chef. Il nous reste une demi-heure avant de sombrer, capitaine, ajouta-t-il.

– Ça suffira. L'arbre de l'hélice tribord tiendra-t-il?

– C'est la cata, ici, en bas, mais l'inondation a au moins un avantage, elle refroidit les paliers.

Dans la lumière qui se levait, Becca distingua une île couverte d'une végétation épaisse et luxuriante. Au fur et à mesure que le navire gagnait la côte sous le vent, les flots s'apaisèrent, et le roulis se calma.

– Sam? Filez devant pour nous guider!

L'étroit chenal que remontait le bateau était coincé entre deux promontoires. La pluie en estompait les contours. Des falaises abruptes et couronnées de jungle s'élançaient de chaque côté sur environ vingt mètres de hauteur.

WOLFGANG SCHMIDT

*L'immense savoir mécanique et la passion pour les moteurs de l'ingénieur n'étaient surpassés que par son amour de la musique, notamment du compositeur Wolfgang Amadeus Mozart (1756-1791), d'après lequel ses parents l'avaient baptisé. Il décrivait souvent les machines de l'*Expédient *en ces termes: « un ensemble instrumental dont je suis le chef d'orchestre ».*

– La rivière sera-t-elle assez large? s'inquiéta Becca en inspectant les environs à travers ses jumelles.

– Ce n'est pas une rivière, précisa son oncle, mais un chenal de marée. D'après la carte, il existe une crique au-delà. Nous y serons bien cachés.

Les rives se rapprochèrent, de plus en plus imposantes. L'*Expédient* rectifia sa course, ce qui n'empêcha pas la jeune fille de constater qu'ils allaient passer de justesse. Ils étaient cernés, de part et d'autre, par des roches et des écueils. Sortant du poste de commandement, le capitaine hurla à l'adresse de Sam l'Anguille :

LES CHENAUX DE MARÉE

Les chenaux de marée sont des voies navigables côtières soumises au rythme des marées. Au jusant, il n'y reste souvent que peu, voire plus d'eau ; à marée haute, la profondeur est souvent significative.

– Quelle profondeur ?

– Dix brasses, capitaine !

L'entaille déchirant la côte sembla les avaler ; à peine dix mètres d'eau claire les séparaient des falaises, maintenant. Becca avait l'impression que, en se penchant, elle aurait pu effleurer les roches sombres qui les surplombaient. Tout à coup, le canal naturel s'élargit en une belle anse. Le pan de terre à tribord se révéla être une péninsule, reliée à l'île par une plage de sable fin d'origine volcanique, en forme de sablier.

– Moteur tribord au ralenti en poupe ! Moteur bâbord au ralenti en proue !

L'*Expédient* se mit à pivoter sur lui-même. Le capitaine se précipita à l'autre bout de la superstructure pour avoir un meilleur point de vue.

– Moteur bâbord au ralenti en poupe !

Doug surgit soudain à côté de sa sœur.

– Le bateau recule ! s'exclama-t-il.

Les hélices battirent les eaux peu profondes.

– Ça ira. Coupez les machines ! ordonna le capitaine.

Très doucement, le navire glissa sur son erre avant de s'arrêter en frissonnant sur la plage et, tandis que le vent faiblissant traversait sa passerelle déchiquetée, le vaisseau blessé parut lancer un ultime soupir mélancolique.

La baie des chaussettes perd-bonheur

L'Expédient
Mouillé dans
L'île Australe

Peint par Doug
en 1927. Au dos,
de la main de Becca,
cette inscription :
« Au regard
de mes souvenirs,
cette peinture
me semble
relativement fidèle
à la réalité,
même si j'ai
l'impression
que mon cher frère
a déplacé l'Expédient
dans le seul but
d'améliorer
sa composition. »
RM, 1929.

Chapitre Deux

Après quatre jours de tempête, le calme est enfin revenu. Nous avons touché terre, le bateau a cessé de rouler et de tanguer, et j'ai pu dormir ! Dehors, c'est toute une île tropicale qui ne demande qu'à être explorée. Les lourds parfums d'une flore luxuriante et exotique entrent par le hublot.

Il n'y a pas un pont du navire qui n'ait été inondé. Pendant le typhon, la mer s'est déversée par les écoutilles, la tuyauterie et les escaliers, atteignant ma cabine. Elle ne s'est toujours pas retirée – sept centimètres d'eau stagnent encore autour de ma couchette.

J'ai aperçu le coffret contenant la correspondance de ma mère : il flottait à côté du bureau. J'avais oublié de l'emballer quand nous avons été renvoyés à Shanghai, il y a trois semaines. (Trois semaines ? J'ai l'impression que ça fait dix ans !) Au moment où je le récupérais, tout le vaisseau a frissonné. J'ai cru que la coque s'échouait sur la plage, mais il me semble plutôt qu'il s'agissait d'un tremblement de terre, comme ceux que j'ai connus quand nous vivions en Inde. J'ai essuyé la boîte et l'ai entreposée sur une étagère, au sec.

Une bouffée de tristesse s'est emparée de moi lorsque je me suis rendu compte que, depuis notre récent séjour sur l'île de Wenzi, ce coffret de merisier était quasiment ma seule possession au monde. Mes valises et les quelques objets que j'avais apportés de notre maison de Lucknow prennent la poussière à Shanghai, chez Mme Zing Zing. Enfin, je suis heureuse d'avoir au moins une chose à moi sur ce bateau.

C'est la première fois que je me remets à mon journal depuis notre départ de Wenzi. Écrire – à l'instar de n'importe quelle activité normale – est tout bonnement impossible, à bord d'un navire affrontant une tempête de force 12. J'étais trop occupée à m'accrocher à quelque chose de stable pour faire quoi que ce soit. D'ailleurs, l'Expédient a beau s'être arrêté de bouger, j'ai cette étrange sensation d'être encore en pleine mer que l'on ressent en général sur un bateau. Tout se passe comme si mon cerveau rejouait sans cesse ce voyage épouvantable.

En quittant l'île de Wenzi, Doug et moi avons passé un pacte secret – monter notre propre expédition dans le désert du Xinjiang afin d'y rechercher nos parents, qui sont toujours portés disparus. Xu et Xi ont promis de nous accompagner. Quelques minutes plus tard, nous étions convoqués sur la passerelle, où le capitaine et Maître Aa avaient rassemblé l'équipage et les Sujing Quantou au grand complet. L'oncle MacKenzie nous a alors annoncé qu'il savait où dénicher le traître Pembleton-Crozier dans sa fuite, et qu'il comptait le pourchasser sans plus tarder.

Juste avant l'explosion de la forteresse de Sheng-Fat, durant quelques minutes frénétiques, nous avions suivi le capitaine à bord de la jonque du pirate, où il avait découvert des rapports émanant du réseau d'espions et d'informateurs que Sheng entretenait à travers toute l'Asie. Ils ont révélé que P-C se trouve sur une île, quelque part dans l'archipel où nous nous sommes échoués. Il y mènerait des fouilles afin de mettre la main sur un vaisseau antique renfermant ce que les papiers nomment «un compas mécanique Sujing». L'oncle MacKenzie et Maître Aa pensent qu'il s'agirait du gyrolabe du sud, dont on a perdu toute trace depuis des siècles.

Le plan du capitaine était simple: localiser ces îles et arrêter Pembleton-Crozier. Les marins ont aussitôt accepté et ont même eu le cœur à pousser quelques hourras.

Bref, *nous sommes venus ici aussi vite que l'ouragan l'a permis. Tout ce temps, le capitaine a rarement quitté la barre. Sa détermination à traquer P-C en dépit de ce typhon d'une violence rare – au point d'abandonner le* Galatie *– est un exemple de ténacité extraordinaire. Sans parler de ses qualités de navigateur. Il avait pris sa décision, et rien au monde ne l'aurait fait renoncer.*

Une pensée m'a traversé l'esprit. Est-ce vraiment P-C ou plutôt la perspective de s'emparer du gyrolabe disparu qui a donné à notre oncle le cran de pousser son navire endommagé à travers des rafales soufflant à plus de deux cents kilomètres-heure ? Cet objet évaporé et convoité par le Cercle du Savoir depuis quatre cents ans paraît désormais tout proche de nous.

LES GYROLABES

Un ensemble de quatre mystérieux appareils antiques servant à mesurer la gravité et activés au moyen du zoridium. Becca et Doug en eurent leur premier aperçu quand le capitaine MacKenzie utilisa celui en sa possession pour une petite démonstration.

(Voir également Livre I, chapitre 21, p. 294.)

J'ai le sentiment que ces appareils sont forcément liés au mystère de la disparition de Père et Mère. Pas notre oncle. À moins qu'il refuse de l'admettre. Pourtant, nous sommes sur la trace du gyrolabe du sud. Est-ce à dire que nos parents ont été volontairement expédiés sur une fausse piste ? Ou une autre raison est-elle à l'origine de cette fatale mission au Xinjiang ?

Tandis que Becca rédigeait son journal, le capitaine MacKenzie s'était rendu à terre en compagnie d'un groupe d'éclaireurs, histoire d'évaluer la configuration des parages.

Doug et Xi avaient réussi à se joindre à eux, bien qu'ils n'eussent pas été invités. Comme il était exclu qu'elle ne fût pas de la balade, Liberty avait bien sûr dégringolé l'échelle de coupée juste au moment où les hommes atteignaient la lisière de la forêt.

Vingt minutes durant, la petite expédition escalada un terrain raide à travers l'exubérante végétation. Doug n'avait jamais vu d'environnement naturel aussi vivace. Autour de lui, ce n'étaient que palmiers enchevêtrés, dans leurs rotins, de plantes grimpantes échevelées, de fougères, de fleurs rares et d'orchidées aux teintes exquises. La pluie récemment tombée avait rafraîchi les arômes végétaux. Après la fureur du typhon, les cris rauques des perroquets et les stridulations des insectes résonnaient comme une musique délicate aux oreilles du garçon. Un instant, celui-ci crut apercevoir les yeux tristes d'un singe à la face allongée qui l'épiait du haut des frondaisons, mais l'animal disparut aussi vite qu'il était apparu.

L'équipe longeait un ruisseau qui exhalait des odeurs de soufre nauséabondes. Le sentier grimpait sans relâche, sapant les dernières réserves d'énergie des marins. Haletants, ils atteignirent la roche nue marquant la crête qui barrait l'île, telle une épine dorsale.

Juste avant d'arriver au sommet, Doug se retourna pour contempler, beaucoup plus bas, l'*Expédient* avachi sur le banc de sable en forme de sablier. L'anse secrète formait un cercle presque parfait, rempli d'une eau turquoise à la limpidité frappante ; la brume qui s'élevait de la jungle détrempée par la tempête imprégnait les lieux d'une atmosphère mystique. Entre l'étroit goulet du chenal et les falaises de la péninsule, l'endroit était une cachette idéale pour le navire.

Maître Aa avait posté des sentinelles aux alentours, et les hommes restés à bord s'affairaient déjà à consolider le mouillage, se servant du dinghy pour ancrer des filins à la proue du navire naufragé.

Xi tendit une gourde à Doug. Il ne transpirait même pas.

– Tu es fatigué ?

– Non, mentit le jeune MacKenzie en avalant une gorgée d'eau.

– Tu as les joues toutes rouges. Tu as escaladé cette colline aussi lentement qu'une grosse et vieille femme.

Doug savait que Xi cherchait toujours à prouver qu'il était le plus fort, le plus rapide et le meilleur. Jetant un coup d'œil derrière lui, il répondit :

– On fait la course jusqu'au sommet, Xi ?

Ce dernier releva aussitôt le défi, déguerpissant avant même que Doug ait eu le temps de se retourner. Il choisit le chemin le plus court et le plus ardu, ce qui allait lui imposer une grimpette presque verticale. Doug s'élança sur la gauche, empruntant un trajet plus long mais plus aisé qui suivait les contours d'une saillie en pente, à l'instar de Chambois, qui se rapprochait du sommet. Bondissant comme un cabri, Doug fila dans sa direction. De son côté, Xi avait trébuché et glissait en arrière. Sentant la victoire, son rival se mit à courir et dépassa Chambois. Il fut le premier à découvrir la vue qui s'offrait aux yeux, sur le versant opposé de l'arête – d'abord, le ciel de traîne qu'avait laissé derrière lui le typhon, puis l'écume blanche des vagues agitant la mer de Célèbes, et enfin les autres îlots constituant l'archipel.

L'ingénieur français le rejoignit. Devant le triste spectacle qui s'étalait devant lui, son visage se ferma.

– *Mon Dieu*[3], murmura-t-il, atterré. C'est une catastrophe.

À l'horizon, un chapelet de sept îles dessinait un fer à cheval. Quatre d'entre elles étaient entièrement dévastées, érodées jusqu'à en être presque plates, déforestées jusqu'à en être quasi désertiques. Elles avaient été réduites à des bancs de boue affleurant à la surface des flots. Parmi les autres, à quelque cinq kilomètres de là, la plus vaste se distinguait par la présence d'un cône volcanique sur son flanc ouest. Apparemment, elle était le centre d'une activité minière intense. Une langue de terre longue de sept à huit kilomètres s'étirait à l'est du cratère éteint. La moitié était encore constituée d'une jungle vert vif; l'autre n'était plus que vase orangée, comme ses quatre sœurs ravagées.

C'est alors que Doug s'aperçut avec effarement que leur propre îlot était lui aussi l'objet d'un massacre identique. Visiblement, le travail avait commencé depuis peu et se confinait à l'autre extrémité de leur refuge. Néanmoins, sur un promontoire éloigné, une excavatrice s'acharnait à éventrer la forêt, rasant la lisière au niveau de la mer. Plus avant, une énorme déflagration retentit et, au flanc d'une colline, un pan de falaise s'effondra dans un tourbillon de poussière.

– Ces îles… elles ont été anéanties! s'exclama Chambois. Complètement arasées!

À cet instant, Xi débroula dans le dos de Doug. Le défi lancé fut oublié dans l'écho mourant de l'explosion.

– Tout le monde au sol! ordonna le capitaine. Cachez-vous!

Lui-même se précipita vers Chambois et Doug, tira un télescope de sa poche et l'appuya sur un rocher. Son neveu s'accroupit derrière une pierre et sortit une paire de jumelles du havresac de Charlie.

---

3. En français dans le texte. (*N.d.T.*)

– Hé ! r-rends-moi ça !

D'une pichenette, le garçon écarta la main du jeune homme et entreprit d'examiner la carrière, sur l'île voisine. Dans l'ombre du volcan, un camion grimpait une piste boueuse en dérapant. Il s'arrêta devant la barrière défendant le territoire de la mine, rempli de tours, de voies ferrées, d'un grand mât à croisillons, de tapis roulants et d'ateliers.

– K-a-l… Kal-axx. Il est écrit Kalaxx sur le véhicule, capitaine !

– Quoi ? gronda son oncle. Mille sabords ! Les papiers de Sheng-Fat ne les mentionnaient pas, Maître Aa. Voilà qui est plutôt inattendu.

L'archipel dévasté. Cahier à dessins de Doug. (CDM 3/10)

L'ORDRE DES SUJING QUANTOU

Antique ordre guerrier remontant à 326 av. J.-C. et organisé en quatre chapitres. Le chapitre septentrional devint un ennemi acharné de ses pairs oriental et occidental après son exclusion de la fraternité en 1720. Ce fut à cette époque qu'on lui confisqua ses réserves de Fille du Soleil (ou zoridium), mais le chapitre septentrional (ou Kalaxx) s'était d'ores et déjà tourné vers les armes de son temps, et ses membres avaient acquis une réputation d'impitoyables mercenaires.

(Voir également Livre I, dépliant sur les Sujing, p. 215.)

Le supérieur des Sujing Quantou porta ses propres jumelles à ses yeux pour observer le site.

– Nom d'un chien, soupira Liberty de son côté. Manquaient plus que ces fouille-merde.

– Vous les connaissez ? demanda Doug.

– J'en ai entendu parler. Ils sont si révoltants que même mon cher père refuserait de recourir à leurs services. Ils dirigent une entreprise d'exploration et d'extraction minières. Je pensais que la civilisation les avait déclarés hors la loi.

– Alors, Sheng ne mentait pas, répondit Doug en se rappelant les derniers mots du pirate agonisant. Pembleton-Crozier doit fouiller les environs à la recherche du vaisseau antique.

– Capitaine ! décréta soudain Maître Aa d'une voix forte. Nous courons un danger mortel. Nous devons quitter l'archipel immédiatement.

– Pardon ?

– Votre plan était d'arrêter Pembleton-Crozier, ce pour quoi j'ai accepté de vous assister. Il n'a jamais été question des Kalaxx. Aurait-ce été le cas, j'aurais refusé d'approcher à mille cinq cents kilomètres d'ici avec des forces aussi faibles. Il faut partir. Tout de suite.

Doug n'en revenait pas. Les Sujing Quantou, les combattants les plus féroces de Chine, osaient suggérer une retraite sans condition devant un tas de galibots ?

Калакс
Горная Компания

La compagnie minière Kalaxx

Durant cent quarante ans, les Kalaxx louèrent leurs services à l'armée impériale russe en tant qu'éclaireurs, augmentant par ailleurs leurs revenus en exploitant les riches terres minières que Catherine II leur avait attribuées dans le Caucase pour récompenser leur participation à la bataille de Balta (première guerre russo-turque, 1768-1774). Cent ans plus tard, ils tombèrent en disgrâce auprès du tsar Alexandre II, avant d'être finalement bannis de Russie en 1861. Ils participèrent à la ruée vers l'or en Amérique et amassèrent une fortune minière colossale dans l'Idaho et le Montana. Ils étaient connus dans le monde entier pour leur brutalité et leur cupidité. Les Kalaxx émigrèrent en Afrique suite à une rumeur les accusant d'être impliqués dans le meurtre d'un officiel leur ayant refusé la propriété d'une mine. Rien ne fut prouvé, mais l'arme du crime était un poignard de type Kindjal, qu'on ne trouve que dans le Caucase russe. En 1911, un article de presse évaluait la fortune des Kalaxx à trente millions de dollars.

*Photographie du déraillement d'un wagon
de la compagnie minière Kalaxx en Afrique du Sud, 1913.*

– Je suis désolé, Maître Aa, s'excusa le capitaine. J'avais imaginé quelques modestes puits, pas quelque chose de cette ampleur. Ni les Kalaxx.

– De combien de temps avez-vous besoin pour réparer le bateau ?

– Quatre jours, peut-être.

Doug tapota le bras de Xi.

– Pourquoi Maître Aa a-t-il si peur ? s'enquit-il.

– Il est évident que les Kalaxx sont de mèche avec Pembleton-Crozier.

– Et alors ?

– Les Kalaxx descendent des traîtres du chapitre septentrional du Sujing Quantou. Depuis leur bannissement de l'Ordre, ils ont gagné leur vie en se spécialisant dans l'extraction de pierres et de minerais précieux. S'ils découvrent notre présence ici, ils nous tueront tous sans exception. Ils sont sans merci.

– Sont-ils nombreux ? s'inquiéta le capitaine.

– Le dernier rapport de nos espions estime leurs troupes à environ cinq cents hommes, expliqua Maître Aa. Ils ne se séparent jamais. Il suffit d'apercevoir la trace de l'un d'eux pour être certain qu'ils sont tous là.

– Dieux du ciel ! Autant que ça ? Se servent-ils de la Fille du Soleil comme arme ?

– Non, soupira le leader Sujing. N'empêche. Me serais-je attendu à rencontrer les Kalaxx, j'aurais sollicité l'aide de nos frères du chapitre occidental. Réagissons ! Nous devons élaborer une stratégie défensive au cas où ils s'apercevraient de notre présence avant que l'*Expédient* soit prêt à appareiller.

– D'accord, acquiesça l'oncle MacKenzie. Déjà, la crique

nous offre une protection naturelle. Aucun navire passant au large ne peut nous voir.

– Pendant que l'équipage s'occupera de rafistoler le vaisseau, mes guerriers et moi-même construirons des lignes de défense à même de protéger nos positions.

– Fort bien. Il ne sera pas inutile d'établir également un poste de surveillance ici même.

– Et nous, les passagers, intervint Liberty, en quoi nous rendrons-nous utiles ?

– Les anciens otages ne sont pas en état de faire quoi que ce soit. Quant à vous, mademoiselle da Vine, si vous voulez un emploi, vous n'aurez qu'à prêter main forte à Mme Ives pour les soigner.

– À mon avis, chuchota Xu à l'oreille de Doug en rigolant, Mme Ives appréciera autant cette suggestion que Liberty.

Un instant, l'Américaine resta bouche bée. Puis, de mauvaise grâce et la mine renfrognée, elle hocha la tête. Après tout, bien des prisonniers de l'île de Wenzi étaient devenus ses amis.

– Des bateaux, maugréa-t-elle en donnant un coup de pied dans la poussière. Moi, jetée sur les océans, à me traîner à moins de quinze kilomètres à l'heure, tout ça pour terminer échouée sur une espèce d'île à la noix afin de dorloter les victimes de Sheng ! Comment en suis-je arrivée là ? Alors que je ne désire qu'une chose, voler ! Tout ce que je veux, c'est piloter mon avion !

– Prenez donc la peine de regarder à travers ce télescope, je crois que vous verrez un spectacle susceptible de vous intéresser, mademoiselle, lui lança le capitaine.

Liberty s'approcha en bougonnant.

– Tenez, visez le côté de cette jetée, là-bas dans la baie.

– Où ça ? grommela la jeune femme en ajustant l'appareil. Bon sang ! que je sois… C'est *Lola* ! Mon avion ! Vous avez retrouvé mon bébé !

*Charlie l'Aristo examine le gouvernail endommagé de l'*Expédient.   (AM 748-24 KAL)

(Voir également annexe 1.)

Le premier jour sur l'île fut consacré à s'organiser et à se préparer. Tandis que les guetteurs gardaient un œil sur les activités des Kalaxx, les Sujing entreprirent, dans le col surplombant la plage, la construction de tranchées renforcées par des haies de bambous taillés en pointe. Cette redoute de fortune leur permettrait de défendre l'*Expédient* et la péninsule d'une éventuelle attaque par la terre.

D'autres bambous servirent à établir un échafaudage à la poupe du bateau pour réparer la gouverne.

Aussi près de l'équateur, le soleil se couchait très vite et, vers sept heures du soir, l'obscurité était complète. La plupart des passagers et des membres d'équipage se retrouvèrent autour de la belle table en acajou de l'oncle MacKenzie, qui avait été dévissée du carré du capitaine et transportée sur la plage, bien au-dessus de la ligne de marée. Sur la nappe de lin blanc, retenue par des pinces à linge à cause de la brise paresseuse qui venait du large, l'argenterie et la porcelaine élégantes aux armes du bateau étincelaient à la lueur vacillante de trois chandeliers. Duchesse rôdait autour de la tablée, donnant des coups de museau dans les chaises, histoire d'effrayer les convives pour qu'ils la régalent de bons morceaux.

Le repas avait consisté en un curieux mélange de plats : entrée à base de noix de coco, maigre ragoût de viande ensuite, et gâteau à la banane en guise de dessert. Lorsque la carafe de porto eut effectué son tour de table, le capitaine se leva et fit teinter son couteau contre son lourd verre en cristal. Le silence s'installa.

– Mesdames, messieurs, comme vous le savez, nous sommes dans l'impossibilité de demander des secours, puisque nous ne possédons plus de radio ni de canots autres que le dinghy. Soyez cependant assurés que nous ne risquons rien, ici. Du moins, telle est ma conviction. Les réparations que nécessite l'*Expédient* sont à notre portée, et nous devrions en avoir terminé d'ici trois jours. Un poste d'observation a été improvisé, d'où nous allons monter la garde constamment et surveiller tout signe avant-coureur d'ennuis sur les autres îles. Une fois le bateau remis en état, nous retournerons en Chine aussi vite que possible. Je suis au regret de vous annoncer que je renonce au projet qui m'a initialement amené ici. J'avais l'intention d'arrêter Julius Pembleton-Crozier, son alliance avec les Kalaxx rend malheureusement cette tâche impossible.

Liberty applaudit lentement.

– Voilà bien les premières paroles sensées que vous sortez depuis l'île de Wenzi, ironisa-t-elle.

– Bien. Ce qui m'amène au point suivant. Je suis très heureux que vous ayez assisté au dîner donné en l'honneur de mes nièce et neveu, Rebecca et Douglas. Suite à leurs récents exploits dans la mer de Chine méridionale, où ils ont fait preuve d'un grand sens de l'initiative et d'une force morale hors du commun en affrontant des défis d'envergure, j'ai le plaisir de les accueillir au sein du Cercle du Savoir en tant que membres associés…

Cahier à dessins de Doug. (CDM 3/15)

– Hé! Ne vous emballez pas, 'pitaine! l'interrompit l'Américaine avec une étonnante véhémence. Avez-vous au moins donné le choix à ces deux gosses?

– Que voulez-vous dire, mademoiselle da Vine?

– D'accord, je ne suis qu'une spectatrice qui tombe comme un cheveu sur la soupe dans cette histoire, une voyageuse bien agacée s'il en est, et ma connaissance de votre club très fermé ne va pas bien loin, n'empêche, moi, ce que je vois, c'est que ce Cercle, ce n'est pas du gâteau… ni une promenade de santé. Tu es certaine de savoir à quoi tu t'engages, là, cousine[4] Becca? ajouta-t-elle à l'intention de l'adolescente.

– Mademoiselle da Vine, s'interposa l'oncle MacKenzie, il ne s'agit pas d'une plaisanterie. Et je suis persuadé que c'est ce que leurs parents auraient souhaité.

– Et où sont-ils exactement, ces parents, capitaine? J'ai entendu dire qu'ils avaient disparu corps et biens lors d'une expédition secrète dans le trou du… au fin fond de la Chine. Un peu comme nous. Sauf que, par-dessus le marché, nous sommes naufragés. Nos plus proches voisins sont ce dingue d'Anglais qui m'a volé mon avion à Fuzhou, un ancien membre de votre fichu Cercle, au passage, et un ramassis d'égorgeurs recherchés par le monde civilisé pour les massacres qu'ils ont commis. À votre place, mes cousins, je prendrais le temps d'y réfléchir à deux… non, trois fois, avant de prêter serment pour entrer dans cette bande de cinglés.

– Je vous remercie pour ce résumé fort intéressant de la situation, rugit le capitaine.

– Comme mon bon vieux papa le répète à l'envi, vérifie toujours qu'on ne t'arnaque pas avant de toper.

---

4. Liberty s'adressait souvent à Becca et Doug en les appelant cousine/cousin depuis le jour où, menacé d'être égorgé par Sheng-Fat sur l'île de Wenzi, Doug avait prétendu appartenir à la riche famille des da Vine.

– Rebecca, Douglas, si vous voulez bien lever votre verre, je vais procéder à votre accueil solennel au sein du Cercle du Savoir. Et il ne sera pas nécessaire de toper.

Les deux enfants se mirent debout, verre à la main.

– Douglas et Rebecca MacKenzie, j'ai la joie de vous admettre dans le Cercle. Jurez-vous de défendre ses nobles idéaux et d'honorer ses objectifs ancestraux ? Si oui, buvez et déclarez : « L'honneur, le devoir ou la mort ! »

Doug avala son porto cul sec en crachouillant « L'honneur, le devoir ou la mort ! » avant de s'essuyer la bouche sur sa manche, un grand sourire aux lèvres. Becca porta le verre à ses lèvres, hésita un instant, puis jeta soudain le porto dans le sable derrière elle.

– Rebecca ! gronda son oncle. Que sont ces manières de rustaude ?

– Liberty a raison, riposta sa nièce. Je refuse. Pas tant que nous n'aurons pas appris ce qu'il est advenu de l'expédition au Xinjiang ! Pas tant que je n'aurai pas retrouvé mes parents.

Un sourcil arrondi, Liberty adressa un sourire victorieux à Becca, puis au capitaine.

– Espèce de tête de mule ! s'exclama ce dernier.

Becca abattit son verre sur la table avant de filer à grands pas vers la silhouette sombre de l'*Expédient*.

Becca claqua la porte de sa cabine, tourna la mèche de sa lampe à huile et s'empara de son journal. Malheureusement, son esprit était trop agité pour qu'elle réussisse à se concentrer, et elle resta assise à fixer les rivets de sa couchette, le

Becca repose brutalement son verre. Cahier à dessins de Doug. (CDM 3/17)

visage fermé, ressassant avec amertume l'emprise que le Cercle avait sur le moindre aspect de son existence. Il lui fallut un bon moment avant que l'agacement provoqué par l'attitude de son oncle soit remplacé par celui qu'éveillait en elle le bruit de gouttes tombant à intervalles réguliers sur son bureau.

Elle ne tarda pas à comprendre que le son émanait du coffret à courrier de sa mère. Il était pourtant sec, tant à l'intérieur qu'à l'extérieur. L'approchant de son oreille, la jeune fille le secoua. Un faible clapotis lui parvint. Ouvrant la boîte, elle remarqua un mince compartiment secret aménagé dans le couvercle ; c'était de là que provenait la fuite. Repérant une encoche de la taille d'un ongle, Becca appuya dessus. En silence, elle se maudit de n'avoir jamais songé à examiner l'objet de plus près.

Le tiroir eut du mal à se déclencher, car le bois avait gonflé sous l'effet de l'humidité. Lorsque Becca finit par arriver à ses fins, un filet d'eau salée se répandit sur son bureau. À l'intérieur du compartiment caché, deux enveloppes détrempées. La première était adressée à M. et Mme A. K. Jukes, de Srinagar. Elle était tellement mouillée que la colle la cachetant s'était dissoute. Cela n'empêcha pas la jeune fille de reconnaître l'écriture de sa mère. Elle retourna le second pli : À *Rebecca et Douglas.*

Les mains de l'adolescente se mirent à trembler. Sa bouche s'assécha. Son cœur s'affola avec tant de vigueur qu'elle l'entendit battre. Pendant quelques instants, elle fut prise de vertige. De multiples questions affluèrent. Allait-elle enfin en apprendre plus sur l'expédition de ses parents ? Comprendre pourquoi ils les avaient abandonnés, elle et Doug ? Découvrir leur destination, même, ou un indice susceptible d'être utilisé par une équipe de sauveteurs ? Le mystère de leur disparition allait-il être enfin levé ?

Bien que tout la pousse à déchirer l'enveloppe, Becca parvint à se contrôler, et c'est avec beaucoup de pondération qu'elle sortit la lettre. Elle la parcourut en diagonale, trébuchant sur les mots, ne cessant de guetter un nom, la mention du lieu où ses parents avaient prévu de se rendre. Parfois, l'encre avait bavé – cela n'empêcha pas la jeune fille de tout déchiffrer. Elle relut la missive trois fois avant de s'affaisser dans son fauteuil. Il n'était fait mention du Xinjiang qu'en une occurrence, et elle n'avait pas trouvé la moindre petite indication quant à un trajet ou un but précis. Une feuille accompagnait la lettre, sauf qu'elle était codée. Becca l'avait quand même lue trois fois aussi, dans l'espoir insensé d'y dénicher un indice. En vain.

Elle s'intéressa au courrier destiné aux Jukes. Il se contentait de confirmer la première lettre. L'adolescente avait retrouvé son calme, maintenant. Ouvrant le tiroir de son bureau, elle glissa les pages humides entre des papiers buvards afin qu'elles

Coffret de correspondance d'Elena MacKenzie

Cette boîte était l'une des possessions les plus chères à Becca, et elle était toujours posée sur son bureau de Cove Cottage. La photographie ci-dessous montre le mince compartiment secret dans lequel sa mère cachait ses lettres.

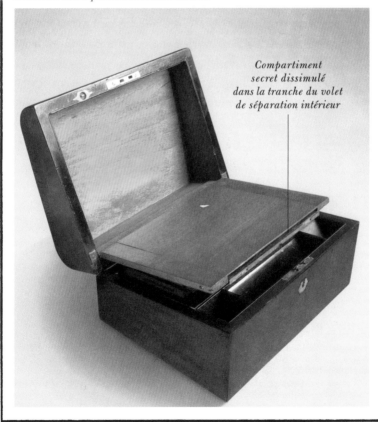

Compartiment secret dissimulé dans la tranche du volet de séparation intérieur

les sèchent, puis le referma sèchement et le verrouilla. Elle resta allongée sur sa couchette pendant de longs moments, ses yeux passant du bureau à la clé avec laquelle ses doigts jouaient. Elle était trop épuisée pour pleurer, trop confuse pour savoir comment réagir. Sa découverte n'avait répondu à aucune des questions qu'elle se posait.

Pourtant, quelque chose la troublait. Quoi exactement ? Elle était bien incapable de le dire. Elle se débattait encore avec ce problème, lorsque Doug déboula dans sa propre cabine, juste à côté, sa maladresse naturelle accentuée par le verre de porto qu'il avait avalé. Becca envisagea un instant de lui annoncer la nouvelle, puis se souvint qu'il était désormais un membre à part entière du Cercle. Pouvait-elle confier à son frère de tels secrets ? Il avait prêté serment. Cela signifiait-il qu'il était obligé maintenant de tout rapporter au capitaine ? Aucune idée.

Tout à coup, Becca se sentit très âgée. Plus que jamais, elle avait la certitude qu'elle avait eu raison de ne pas rejoindre le Cercle.

CHAPITRE TROIS

Je viens d'aider à transporter sur le pont les malades jusque-là cantonnés dans leurs couchettes de la dunette. Lorsque Liberty s'est présentée à Mme Ives pour prendre son service, nous avons eu droit à une belle confrontation. Dès le départ, il a été clair pour tout le monde que Mme Ives ne tenait pas à voir Liberty traîner autour des anciens otages. Il est tout aussi évident que la Texane ne supporte pas la cuisinière.

Les patients, leurs horribles blessures infligées par Sheng-Fat maintenant pansées, ont été encore affaiblis par la tempête. Mais, tandis que nous circulions au milieu d'eux pour leur donner à boire, certains se sont mis à chanter. Certaines, plus précisément. Sur la vingtaine de rescapés, neuf appartiennent à une chorale féminine amateur, et ces dames ont le cœur de pousser la chansonnette en dépit de leur triste état. Liberty s'est aussitôt collé les doigts dans les oreilles. « Stop ! a-t-elle crié. Sur l'île de Wenzi, j'étais déjà enfermée avec ces braillardes. C'était la pire des punitions ! »

Mme Cuthbert

Études de Mme Cuthbert.
Cahier à dessins de Doug. (CDM 3/22)

Moi, j'aime assez leurs chants. À l'heure où j'écris ceci, les mélodies me parviennent. Le chef de chœur est une certaine Mme Cuthbert. Une veuve. D'ailleurs, elles sont toutes veuves. Elles m'ont raconté qu'elles faisaient un tour du monde en l'honneur du défunt mari de Mme Cuthbert, un célèbre banquier de Long Island, quand elles ont été enlevées par Sheng-Fat, dans le détroit de Formose. Elles ont une prédilection particulière pour les requiems, vu qu'elles portent toutes le deuil. Mme Ives nous a recommandé de ne rien dire de leur situation à l'équipage, car une veuve à bord d'un bateau est un mauvais présage. Alors, neuf d'un coup…

– … j-j-je ne peux vous aider, c-capitaine, bégayait Charlie l'Aristo.

– Pourtant, vous étiez prêt à prendre d'assaut la forteresse de l'île de Wenzi, Charles.

– Je sais, et ça a été un moment formidable. M-mais t-tout a c-c-changé. J'ignorais que J-Julius serait là-bas, et que n-nous le p-pourchasserions jusqu'ici. Il m'est impossible de c-c-continuer cette mission.

– Vous souhaitez quitter le navire? Vraiment?

– Euh… en q-quelque sorte. J-j-je… voudrais retourner à F-Florence afin d'y p-p-poursuivre mes recherches.

– Vous n'avez aucun moyen de quitter l'île. L'*Expédient* n'est pas encore en état d'appareiller.

– J'en suis c-conscient.

– Voilà qui ne nous facilite pas les choses, n'est-ce pas?

– J'accepte d'exécuter des t-t-tâches ordinaires, mais je refuse de p-prendre p-part à la traque de Julius. Je ne p-p-peux m'impliquer là-dedans.

Doug frappa très fort, bien que la porte fût entrouverte.

– Entrez ! Ah, Douglas ! Approche. Où est ta sœur ? Je l'ai convoquée également.

– Ici, mon oncle, annonça la jeune fille en se précipitant derrière son frère.

Elle jeta un coup d'œil prudent à Duchesse. La tigresse s'étira et bâilla bruyamment.

Charlie l'Aristo

– Désolée d'être en retard, ajouta Becca. Je m'occupais des malades.

– Bonjour, ma nièce, répondit le capitaine MacKenzie en souriant, l'air d'avoir tout oublié de l'éclat de la veille. J'ai promis à Mme Ives de réapprovisionner le navire. Je me suis mis d'accord avec Maître Aa. Xu et Xi t'aideront à chercher de la nourriture sur la péninsule. Dis-moi, Douglas, tu t'y connais un peu en voile ?

– J'ai déjà caboté avec mon père dans la baie de Chesapeake.

– Parfait. J'aimerais que toi et Charles preniez le *Petit Mousse* et voyiez ce que vous pourrez trouver de comestible dans

Journal de Becca :
*« Charlie est une énigme. Gentleman raffiné et instruit, excellent tireur – talent qui détonne avec son emploi actuel de matelot. Il a l'air d'un amateur plutôt que d'un marin professionnel – parfois, il a des difficultés à nouer un simple cordage. Lorsqu'on l'interroge sur ses activités avant son embauche sur l'*Expédient, *il n'offre que des réponses brèves que son bégaiement rend inintelligibles. Un bon ami cependant. »*

la crique. L'eau semble grouiller de poissons, dont certains sont délicieux, j'en suis sûr. Charles est un excellent pêcheur. Cela vous convient-il, Charles ?

– T-très bien.

Becca se demanda si Doug avait droit à un traitement de faveur parce qu'il avait rejoint les rangs du Cercle.

– Ainsi, lança-t-elle avec aigreur, Doug va s'amuser sur un voilier pendant que moi, je transpirerai dans une jungle étouffante ?

– Je n'avais pas envisagé les choses ainsi, rétorqua son oncle, irrité. Vous n'aurez qu'à échanger vos tâches après le déjeuner.

– Tu détestes les petits bateaux, grommela Doug en tirant la langue à sa sœur. La fois où nous sommes sortis en mer avec Père, tu as tellement râlé parce que ça tanguait, qu'il t'a ramenée à terre.

– La ferme ! rugit Becca en piquant un fard. Depuis, j'ai survécu à un typhon.

– J'ai réparti les tâches entre les hommes d'équipage, intervint le capitaine, et suspendu les tours de garde. Veuillez néanmoins prévenir M. Ives de vos déplacements, par politesse et pour la sécurité de tous. Mme Ives vous donnera des paniers.

Attrapant la laisse de sa tigresse, il la tendit à sa nièce.

– Emmène Duchesse avec toi, précisa-t-il. Elle a tendance à devenir paresseuse.

L'énorme animal roula sur le dos et ouvrit une paupière, ce qui permit à Becca d'entrevoir le regard peu amène qu'il semblait lui adresser.

Becca para l'attaque de son adversaire et plongea. Mais, plus rapide, il recula d'un bond, et elle fonça dans le vide avant de s'effondrer dans des buissons d'herbe tendre.

– Je t'avais prévenue que j'étais meilleur épéiste que toi ! fanfaronna Xi.

En guise de sabres, ils se servaient de bambous, bien plus difficiles à manier que de vraies armes, d'après la jeune fille. Cela faisait dix minutes que cette anguille de Xi la battait à plate couture. Ce duel impromptu était on ne peut moins réglementaire – Xi et ses deux lames contre une seule pour elle – et Becca comprit qu'il était temps qu'elle change de tactique.

Le style de Xi, inspiré par les Sujing Quantou, eux-mêmes lointains héritiers des guerriers grecs d'Alexandre, des samouraïs du Japon d'autrefois et des caravaniers de la route de la soie, était tout en vitesse, souplesse et improvisations. En comparaison, les habitudes de combat de Becca, apparentées au maniement médiéval de la rapière, paraissaient bien trop figées et appliquées. Chaque fois qu'elle tentait une garde aussitôt suivie d'une botte, Xi esquivait d'une cabriole ou d'une vrille sur lui-même, d'un saut périlleux arrière ou d'une roue.

– Les forces en présence sont déséquilibrées, décréta Xu qui, perché sur un des paniers de Mme Ives, officiait en tant qu'arbitre.

– Allez, je vais te faciliter les choses, déclara Xi, grand seigneur, en jetant un de ses glaives improvisés.

– Tu rigoles ? s'indigna l'adolescente en essuyant la sueur qui lui dégoulinait dans les yeux.

LA ROUTE DE LA SOIE

Pendant 3 500 ans au moins, ce réseau de routes commerciales reliant l'Asie à l'Europe permit le transport de marchandises de valeur telles que la soie, le jade et les épices à travers les déserts, les montagnes et les mers. Certains des trajets les plus fameux partaient du désert du Xinjiang, à l'ouest de la Chine, pour rallier la Méditerranée, en passant par Samarkand.

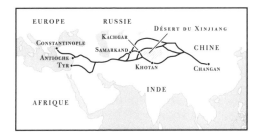

Elle se souvint d'une leçon d'escrime que lui avait dispensée son père, lequel en avait profité pour lui raconter sa version d'un «affrontement à l'épée contre plusieurs gentlemen chinois à Kashi». Becca avait toujours cru qu'il avait parlé d'un combat régulier. S'était-il, en réalité, agi d'une rixe? «T'en tenir strictement à ce que tu sais dans l'espoir que ton adversaire te fera le plaisir de lutter en adoptant les mêmes règles que toi, c'est perdre à coup sûr. J'ai été obligé de m'adapter à leurs méthodes. Je me suis jeté sur eux comme une bête, hurlant et vociférant. Ce comportement les a déroutés autant que moi. Ils s'attendaient à une chose, je leur en ai servi une autre. Je suis sorti vainqueur de cette rencontre et suis retourné à mon hôtel afin de m'octroyer une goutte de gin bien méritée.»

– Je refuse tout traitement de faveur, reprit-elle en rendant son bambou supplémentaire à Xi.

– *En garde*[5]! lança Xu.

Becca prit une position classique, ce qui déclencha les ricanements de son rival.

– Tu sais… commença-t-il.

Mais la jeune fille abandonna sa posture et se rua sur Xi en s'époumonant du mieux qu'elle le pouvait, agitant son arme de fortune plus comme un coutelas que comme une épée. Surpris, le Chinois bondit en arrière. Soucieux de garder son équilibre, il fut incapable de parer correctement l'attaque. Becca continuait à s'égosiller et, sans relâcher la pression de ses coups, elle l'obligea à reculer d'une trentaine de pas dans l'arène plate qu'ils avaient dénichée en bordure de la jungle. Xi trébucha sur des racines et des buissons jusqu'à ce qu'elle abaisse son bâton, se contentant de lui hurler dans les oreilles.

---

5. En français dans le texte. *(N.d.T.)*

– D'accord, d'accord, tu as gagné, s'esclaffa Xi.

Ses rires se transformèrent en piaillements lorsque, tournant le cou, il distingua un squelette à côté de lui, les os blanchis sous le soleil, dénué de tête. Il sauta sur ses pieds et brandit son bambou, le visage blême.

– Par le Grand Iskander[6] lui-même ! s'exclama-t-il.

Becca voulut s'éloigner, mais elle interrompit son geste quand son pied s'enfonça dans la fragile cage thoracique d'un deuxième squelette. Xu, hilare, était plié en deux, d'abord à cause de son frère, qui avait bondi comme un chat échaudé, puis à cause de Becca, qui tentait de s'extraire des ossements.

– Qu'est-ce qu'ils fichent ici ? demanda Xi.

– C'est un cimetière, qu'est-ce que tu crois ? s'écria Xu.

– Dans un cimetière, les gens sont enterrés, en général, objecta Becca qui s'était ressaisie.

Xu écarta une fougère.

– Il y en a un troisième ici. Vous avez remarqué ? Les crânes manquent.

La jeune fille frissonna.

– De la sorcellerie ? murmura Xi. Des démons ? Des cannibales ?

– Tu as la trouille d'un tas de vieux os, frérot ? se moqua Xu. Tu as peur qu'ils se battent mieux que toi ?

– Peur, moi ? répéta Xi, incrédule. *Peur ?* Je suis le prodige des Sujing Quantou. Je ne crains rien ni personne…

– Oh, boucle-la ! lui ordonna sèchement Becca. Ramassons les paniers et allons informer le capitaine.

---

6. Soit Alexandre le Grand (356-323 av. J.-C.), roi de Macédoine, dont les armées conquirent la Perse, l'Égypte, l'Afghanistan et l'Inde.

Le moins que l'on pouvait dire, c'est que la partie de pêche n'était pas des plus réussies. Doug et Charlie avaient passé la matinée à évoluer dans la crique. Même si cela avait contribué à améliorer les talents de marin de Doug, ils n'avaient quasiment rien attrapé. Le résultat de leurs efforts se résumait à un résident du récif aux nombreux piquants et aux teintes criardes que Charlie hésitait même à garder, sans parler de le manger. Après que Doug eut râlé tout son content, car il préférait de loin naviguer plutôt que pêcher, Charlie appâta une cuiller qu'ils fixèrent à une ligne remorquée derrière le voilier.

– Je vais tirer un bord, Charlie, annonça Doug, qui était assis dans les écoutes de poupe du dinghy.

– Ne p-pousse p-pas la barre à fond, cette fois. Tu ne changes pas l'aiguillage d'un chemin de fer. Vas-y en douceur, laisse le foc faire le t-t-travail et contente-toi de t-tourner le nez du bateau. Ainsi, tu seras plus efficace.

– Parez à virer !

Écoutant les conseils de Charlie, Doug orienta le bateau dans une autre direction.

– Sous le vent !

Il baissa la tête quand la grand-voile couleur rouille passa de bâbord à tribord, faseya, puis se gonfla de nouveau. Il changea de place et donna un peu de mou. Charlie s'occupa du foc et fit porter son poids sur le bord au vent pour rééquilibrer le voilier. Des vagues clapotèrent sur l'étrave tandis que la robuste bien que petite embarcation prenait de la vitesse et de la gîte.

L'*Expédient* était échoué à environ quatre cents mètres de leur travers bâbord. Sa proue était entourée d'échafaudages en bambou, sur lesquels s'affairaient les hommes d'équipage réparant le gouvernail. Les dégâts étaient beaucoup plus importants que prévu. Le métal avait été tordu aussi facilement qu'un bout de carton par le diabolique mécanisme de Sheng-Fat, les Dents du Dragon, et deux grandes entailles avaient déchiré la coque et provoqué la voie d'eau.

Les deux plaisanciers d'un jour aperçurent Xu, Xi et Becca qui entraînaient d'un bon pas le capitaine et Maître Aa en direction de la péninsule. Un instant, Doug oublia sa barre franche et s'interrogea sur l'origine de cette agitation, puis la grand-voile claqua et menaça de virer vent arrière.

– Les coups de vent hasardeux ne sont p-pas rares, ici. Un b-b-bon entraînement pour toi. Vérifie la cuiller. On a q-quelque chose?

– Euh… non.

– On f-f-ferait mieux de m-mouiller une n-nouvelle fois ailleurs et d-de réessayer avec les g-gaules. Mme Ives c-compte s-sûrement sur une sacrée p-pêche, vu les heures que nous y aurons p-passées.

– Un peu plus loin, alors. Derrière ce rocher.

– À vos ordres, c-capitaine.

Doug cingla vers un piton rocheux isolé, près des falaises à l'autre bout de l'anse. Il l'avait contemplé depuis une bonne heure et n'avait pu résister à la curiosité. Charlie abaissa le foc, tandis que le garçon filait à l'avant et lançait l'ancre. Celle-ci tomba avec un plouf extrêmement réjouissant, et il la regarda couler dans une mer cristalline jusqu'à ce qu'elle touche le fond.

– Il y a des tas de poiscailles, là-dessous. Des centaines. Je les vois.

Sur ce, il sauta à son tour, une bombe parfaite qui éclaboussa la proue du dinghy. Il fit quelques brasses sous le bateau et réémergea de l'autre côté.

Le Petit Mousse

Le Petit Mousse était un dinghy à voile bordé à clins de quatre mètres, modèle traditionnel de l'Amirauté royale. Il était équipé d'un foc et d'une voile de beaupré, ainsi que d'une paire de rames. Lorsqu'on hissait la voile, un système de liures amortissait les mouvements du beaupré. Ces liures étaient en épais cordage ou en fil de fer – si, lors d'un coup de vent, le beaupré se détachait, il risquait en effet de percer la coque et de couler le bateau.

1   Barre franche
2   Soute arrière
3   Banc de nage
4   Puits de dérive
5   Système de levage de la dérive
6   Mât
7   Ancre
8   Rames
9   Grand-voile
10 Drisse de grand-voile
11 Écoute de grand-voile
12 Beaupré
13 Guide de beaupré
14 Foc
15 Drisse de foc
16 Écoute de foc
17 Hauban
18 Étai
19 Gouvernail
20 Dame de nage (déployée en mer)
21 Dérive

PETIT MOUSSE

Agrandissement du guide de beaupré

Mât

Poulie

Liure

Beaupré

– Tu v-vas effrayer notre d-déjeuner, à jouer les s-s-singes mouillés. Bon, Mme Ives en veut des gros. Pas de menu f-fretin.

Doug nagea vers le plat-bord, ravi de la fraîcheur du bain.

– On se croirait dans une piscine. Passez-moi le filet, des fois que j'attrape quelque chose.

Il prit une grande goulée d'air et plongea. La visibilité était excellente. Des centaines de créatures affolées s'égaillaient devant lui, leurs écailles luisantes se reflétant dans les rayons dansants du soleil qui traversaient la surface. Il remonta.

– Une prise ?

– Hé ! Laissez-moi un peu de temps.

Charlie démêlait une gaule antédiluvienne ; il s'était coiffé d'une casquette de tweed chiffonnée, dans la visière de laquelle il avait piqué des mouches de pêche aux couleurs vives.

– Eh bien, au b-boulot ! Arrête de f-faire des ronds dans l'eau. Difficile de s-s-savoir ce que nous allons dégoter, dans ces p-parages. Moi, je suis p-plutôt un spécialiste des saumons et des t-t-truites…

Durant une dizaine de minutes, Doug brandit l'encombrant filet en direction de tout ce qui passait devant lui. Malgré ses efforts, il ne réussit cependant à emprisonner que des proies minuscules. Dégoûté, vaincu et hors d'haleine, il balança le filet dans le dinghy et crocheta ses coudes autour du tableau arrière.

– Becca a juré que je n'attraperais rien ! ronchonna-t-il. Il faut absolument que j'en pêche un, sinon je n'ai pas fini d'en entendre parler.

– V-vous êtes en froid ?

– Nous nous sommes disputés. Elle me boude. J'ai à peine eu droit à un mot depuis hier soir que j'ai prêté serment et rejoint le Cercle.

Charlie farfouilla dans son panier en osier et en sortit une boîte remplie d'hameçons bigarrés.

– T-tel est l'ennui, avec les f-frères et s-sœurs. Ce s-sont, de t-tous les êtres, les m-mieux à même de t'exaspérer.

– Bizarre, hein ?

– Qu'est-ce qui est bizarre ? demanda le jeune homme en se piquant le doigt par inadvertance.

– Qu'une sœur et un frère puissent penser à l'opposé l'un de l'autre. J'étais impatient de devenir membre du Cercle. Je ne vois pas où est le problème.

Son interlocuteur ne lui répondit pas immédiatement, concentré sur une mouche qu'il nouait à sa ligne.

– C'est c-comme dans un c-compas, finit-il par murmurer. Il y a le p-positif et le négatif, mon vieux.

– Elle a carrément refusé l'offre du capitaine.

– Chacun s-s-suit son propre chemin, d-dans la vie. Elle estime avoir pris le b-bon. Toi aussi. Qui peut p-p-prétendre détenir la vérité ?

– Celui qui va dans le sens… enfin, celui qui défend des intérêts du Cercle.

– Pourquoi as-tu décidé d'y adhérer ? s'enquit Charlie en lançant sa ligne.

– Parce que Mère et Père en faisaient… en font partie. D'accord, le capitaine est parfois un peu soupe au lait, n'empêche, il est sympa. Et puis, je n'avais pas vraiment le choix, hein ?

– On l'a toujours. Ainsi, B-Becca aurait p-préféré une autre option. Il faut juste t-trouver la voie qui te convient le m-mieux. Parfois, ça évolue. P-parfois, c'est vraiment dur… parce que t-tenter d'atteindre au mieux est difficile.

– J'ai l'impression que vous n'êtes pas vous-même très sûr de votre appartenance au Cercle.

LA COLLECTION DE MOUCHES ET DE BOUCHONS À PÊCHE DE CHARLIE L'ARISTO

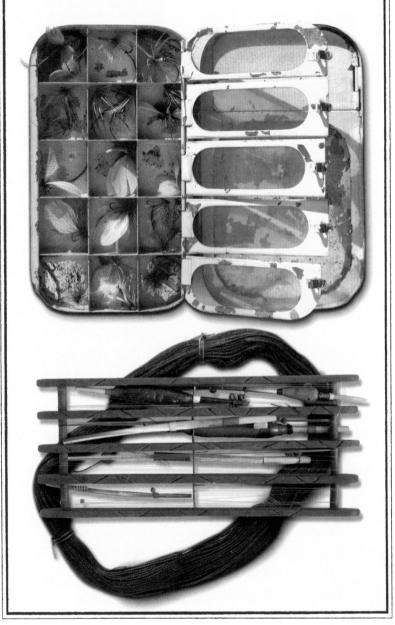

– C'est une institution respectable. « L'honneur, le devoir ou la mort. » N'oublie jamais. P-pourtant, essaye de t-te réconcilier avec elle, Doug. J'ai été t-témoin de bien des brouilles, dans ma vie, et je suis c-convaincu que discuter est la meilleure des solutions.

Soudain, le jeune homme parut tomber dans une rêverie mélancolique et taciturne. Il n'en dit pas plus.

– Quatre ? glapit Mme Ives. *Quatre ?* Avec un océan aussi vaste sous la main, tu t'es débrouillé pour ne me rapporter que quatre malheureuses prises ? Voyons ça.

Elle poussa un cri de terreur quand un énorme crabe surgit du panier en osier. Il agitait ses grosses pinces dans sa direction, prêt à lutter vaillamment pour échapper à la casserole.

– Qu'en dites-vous ? exulta Doug. À mon avis, un excellent représentant de l'espèce *Crabus Maximus*.

Assise sur la banquette, Becca toisa son frère avec un air d'ennui étudié. Xi tenta de s'emparer de la bête, ce qui lui valut un pinçon sur le poignet.

– Douglas MacKenzie ! couina la cuisinière, hors d'elle.

Elle voulut saisir l'anse de la nasse, mais le crustacé attaqua. Dans la bagarre, le panier tomba sur le pont, et le pugnace crustacé en profita pour se faire la belle.

– Il est drôlement vif, hein, madame Ives ?

– Je vais te l'attraper en moins de deux, moi ! lança Xi, toujours prêt à relever un défi.

Le tourteau filait vers la sortie. Doug, qui essayait de lui bloquer le passage avec son pied, recula bien vite quand les pinces claquèrent sèchement. Par jeu, Xi fit tomber son ami, et l'animal lui écorcha le genou. Pour se venger, Doug coinça la tête de Xi sous son bras, et les deux malappris roulèrent sur le sol, cependant que la cuisinière leur ordonnait à grands cris de se conduire convenablement. Quant au crabe, il réussit à franchir le seuil et détala jusqu'au plat-bord, où il s'élança avec l'énergie du désespoir vers un sabord.

– Il s'est sauvé, annonça Becca d'une voix calme, bras croisés.

Doug et Xi en oublièrent de se battre et filèrent dehors, juste à temps pour voir le crustacé tomber dans les eaux peu profondes dans lesquelles mouillait l'*Expédient*.

– Eh bien, madame Ives, il semble qu'il n'y aura pas de crabe au menu ce soir, marmonna Doug, piteux.

– Il était censé être servi au déjeuner. Que Dieu me vienne en aide ! Bon, que reste-t-il de ta pêche ?

De la pointe de son couteau, elle souleva les épines du plus laid des poissons.

– Nom d'une pipe ! s'exclama-t-elle, dégoûtée. Que veux-tu que je fasse de *ça* ? Il va nous empoisonner. Quant aux autres, ils sont si petits que je n'ai même pas de quoi préparer une tourte. Non mais regarde-moi ça ! Reprends ces horreurs et remets-les là où tu les as prises. Au moins, ta sœur et les frères Souchong m'ont rapporté des noix de coco.

– Sujing, la corrigea Xi en suçant son poignet. Nous sommes des guerriers, pas des marchands de thé.

– Peu importe. À propos, Maître Aa vous cherche. Il vous attend tous les deux dans la redoute.

– Et c'est seulement maintenant que vous nous le dites ! s'emporta Xi en se précipitant vers la porte.

Mme Ives et le crabe. Cahier à dessins de Doug. (CDM 3/28)

– Si tu n'avais pas été occupé à te bagarrer avec ce crabe et Doug, je t'aurais averti plus tôt !

– Ai-je au moins droit à un bon point pour mon sens artistique ? s'enquit Doug en soulevant un minuscule poisson arc-en-ciel.

– Sens artistique, mon œil ! Vise un peu ce qu'il y a d'écrit sur cette porte, mon garçon. Ici, c'est une cambuse, pas une galerie de peintures.

En soupirant, Doug s'empara de sa maigre pêche.

– Et où comptes-tu aller, d'un si bon pas ?

– Ben, je les rapporte, comme vous me l'avez ordonné.

Exaspérée, Mme Ives lui arracha le panier des mains, s'approcha de la porte, et d'un seul et auguste geste, envoya son contenu par-dessus bord.

– Et maintenant, reprit-elle, je veux que toi et Becca portiez ce broc d'eau aux malades. J'ai passé ma matinée à panser des moignons d'auriculaire, et voilà qu'il faut que je trouve une façon de nourrir toute la troupe avec un tas de noix de coco idiotes ! Ouste ! Hors de ma vue !

Doug lisait la lettre de sa mère dans la chaleur accablante de la cabine de Becca. Cette dernière était assise sur sa couchette, silencieuse. Elle connaissait par cœur le contenu de la missive.

> *Chers Becca et Doug,*
>
> *Comme vous le savez, votre père et moi avons travaillé dur sur un projet de recherche d'une grande importance, et nous avons été forcés de partir pour le Xinjiang, en Chine. Je laisse ce mot, au cas où les choses tourneraient mal, et où notre retour serait retardé.*
>
> *Tante Margaret est ici pour s'occuper de vous, mais elle ne peut rester après juin, car des engagements de premier ordre exigent sa présence à San Francisco. Bhanuprasad[7] vous donnera cette lettre si vous n'avez pas de nouvelles de nous d'ici quatre mois. Auquel cas, je me suis arrangée avec les Jukes, à Srinagar, pour que vous logiez chez eux jusqu'à ce que nous revenions. Ils seront vos tuteurs et veilleront sur*

---

7. La gouvernante de confiance des MacKenzie, dans leur maison de Lucknow, en Inde.

votre sécurité en attendant que nous soyons de nouveau réunis.

Bien que vous les ayez rarement rencontrés, je me souviens que vous vous êtes bien entendus avec Anders et Astrid lors de nos vacances communes dans la région de l'Hindu Kush, en Afghanistan, il y a deux ans. Vous rappelez-vous le plaisir que nous avons eu, dans leur maison près du lac Dal, au Cachemire, et pendant le pique-nique à l'ancien observatoire royal de Pari Mahal ?

Soyez sages et polis avec eux. Doug, pas de bêtises, s'il te plaît.

Cette expédition revêt une importance vitale, sinon votre père et moi-même ne serions pas partis ensemble. Je vous confie un document que vous ne devrez montrer qu'à une seule personne. Il s'agit d'Alfonso Borelli, qui doit venir d'Italie pour le récupérer. C'est un ami de confiance. Vous le reconnaîtrez à ses yeux bleus et à sa moustache impressionnante. Auparavant, il enverra un télégramme pour s'assurer de votre présence à Lucknow ou à Srinagar. Cachez le message jusqu'à son arrivée – tu es si malin, Doug, que tu trouveras l'endroit qu'il faut.

Prenez soin de vous, mes chéris.

Votre mère qui vous aime.

En reniflant, le garçon retourna la feuille pour la parcourir une deuxième fois. Dans la lumière crue des tropiques, Becca remarqua à quel point la silhouette de son frère ressemblait à celle de leur père ; le maintien, l'affaissement de l'épaule, le profil du nez étaient presque les mêmes. Elle nota aussi que ses vêtements étaient trop courts, maintenant qu'il était aussi grand qu'elle, ce qui était un peu agaçant.

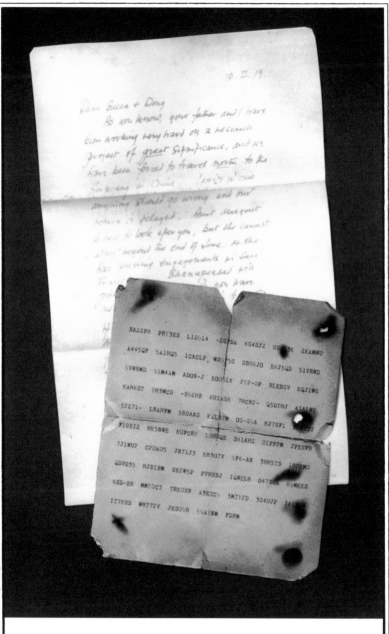

LA LETTRE ET LE MESSAGE ENVOYÉS PAR ELENA MACKENZIE

Perdu dans ses pensées, Doug s'assit lentement.

– Aucune mention du capitaine, finit-il par murmurer d'une voix lointaine. Ni de l'*Expédient*.

– En effet.

– Tante Margaret a renvoyé Bhanu, voilà pourquoi ces courriers sont restés dans le coffret de correspondance et n'ont jamais été remis ni aux Jukes ni à nous-mêmes. Cette mégère devait pourtant être au courant, pour les Jukes.

– Si nous ne l'avions pas autant embêtée, elle nous aurait sans doute envoyés à Srinagar.

– Tu crois que ce Borelli a tenté de récupérer le message codé ?

La question resta sans réponse. Becca méditait les implications de ce qu'elle avait découvert la veille au soir. Alfonso Borelli était-il également membre du Cercle du Savoir ?

– Quoi que les parents aient fabriqué au Xinjiang, reprit Doug en contemplant le papier, ça doit être révélé dans ce document chiffré. Pas la peine d'être un génie pour le deviner.

– En revanche, il faut sûrement en être un pour le lire. Tu penses que la Friture y parviendrait ?

Son frère étudia le message de plus près.

– Ça ressemble au code CS que nous avons trouvé dans le bureau de la T.S.F. La Friture aurait probablement besoin de se servir des livres de chiffrement. Malheureusement, le coffre-fort où ils étaient rangés a été détruit lors de la bataille de l'île de Wenzi.

– Est-ce qu'on le montre au capitaine ?

– Mère nous recommande de ne le donner qu'à Borelli. À mon avis, nous devrions le cacher, en attendant de rencontrer ce type. Pourquoi ne m'as-tu pas parlé de ça plus tôt ?

– Je réfléchissais. Je voulais être sûre que je pouvais…

– Quoi ?

– Euh… te faire confiance. Tu es membre du Cercle, après tout. Et puis, j'étais fâchée.

– Je m'en suis rendu compte, figure-toi. N'empêche. De là à te méfier de moi !

Doug croisa les bras, l'air à la fois confus et vexé.

– Ce n'est pas toi, c'est le Cercle. Tu as prêté serment à une organisation dont tu ne sais rien du tout, je te signale. La lettre aux Jukes pose aussi un problème.

– Je ne vois pas en quoi.

– Quelque chose me titille l'esprit. Quelque chose qui n'a guère de sens. Mais je ne suis pas sûre de ce dont il s'agit. Il faut d'abord que je procède à quelques vérifications.

Repliant les feuilles, elle les remit dans leurs enveloppes.

– Qui sont ces gens, d'ailleurs ? demanda son frère en constatant qu'il n'obtiendrait rien de plus de Becca.

Le nom de Jukes le remplissait d'un vague malaise.

– Doug, voyons ! Comment as-tu pu oublier ? Tu as balancé ta chaussure à travers leur baie vitrée. Tu as cassé deux carreaux et une paire de vases Ming.

– Ah, ce sont eux.

Le garçon grimaça en se rappelant que son expérience impromptue sur les trajectoires paraboliques avait mal tourné. Becca lui tendit les lettres.

– Cache-les, puisque tu es apparemment un expert. Mais je t'en prie, pas dans tes chaussettes répugnantes.

Chapitre Quatre

Mme Ives avait retrouvé sa bonne humeur habituelle. Ayant déniché une réserve de conserves dans l'un de ses placards au fin fond du navire, elle était parvenue à préparer de quoi nourrir tout son monde. Le ventre plein, Doug partit vers la péninsule, avec l'ordre de rapporter des noix de coco. Xu et Xi étaient au poste de garde, et il se sentait un peu seul tandis qu'il avançait sur la plage, en direction du cimetière.

La plupart des hommes d'équipage continuaient à travailler dur pour réparer l'*Expédient*. Ils découpaient des plaques d'acier dans les débris enchevêtrés du bureau radio afin de colmater les voies d'eau. Ces pièces étaient soudées sur les déchirures, leur peinture rouge vif tranchant sur la couleur de la vieille coque qui avait pris des teintes rouille.

Le petit plateau qui surplombait la péninsule ne fut pas difficile à trouver. Glouton s'y affairait déjà, abattant à la machette des pans de végétation. On en était désormais à six squelettes, tous étêtés. Le capitaine MacKenzie prenait des notes.

– Que penses-tu de tout cela ? demanda-t-il à Doug après l'avoir salué d'un hochement du menton.

– Je n'en sais trop rien.

– Tu es effrayé ?

– Pas particulièrement. J'avais un squelette pour voisin, dans les nasses de Sheng-Fat. Il n'était pas désagréable.

– Tout comme toi. D'un point de vue scientifique, que dirais-tu de la scène ?

– Qu'ils ont tous péri en même temps? répondit le garçon après avoir regardé autour de lui.

– C'est également mon avis. Instinctivement, les humains enterrent leurs morts.

Les corps étaient disposés n'importe où, bras et jambes écartés comme s'ils avaient succombé au cours d'une sorte de danse primitive complexe. Doug n'y comprenait pas grand-chose. Soudain, il repéra quatre canons dirigés vers la plage en sablier et le col. Leurs affûts avaient pourri depuis longtemps, mais leur but était des plus clairs.

– Ont-ils été tués au combat? s'enquit-il.

– Continue, l'encouragea son oncle.

– En défendant cet endroit?

S'agenouillant, le capitaine désigna un bout de métal rouillé qui gisait près de la main d'un des squelettes.

– Approche, mon neveu. Dis-moi ce que tu vois.

– La garde et le silex d'un mousquet. (La monture en bois avait été dévorée par les termites depuis belle lurette.) Il y a forcément eu bataille!

La découverte des squelettes. Cahier à dessins de Doug. (CDM 3/34)

– Je suis d'accord.

– Mais que fichaient-ils ici ? Et qu'est-ce qu'ils défendaient ?

– Nous ne le saurons sans doute jamais. D'autres squelettes, Lincoln ?

– Je ne pense pas, répondit Glouton en examinant les parages.

– Ensevelissez ces malheureux. Je viendrai prononcer quelques mots au coucher du soleil.

GLOUTON

Robert Lincoln acquit sa réputation d'ogre le jour où il avala à la suite dix assiettes de tourte à la viande, accompagnée de pudding aux raisins. Il ne sortait jamais sans ce qu'il nommait « un en-cas de survie » destiné à combler ses petits creux entre les repas.

Journal de Becca : 8 mai 1920, dans l'après-midi

Un bateau kalaxx a abordé la plage située sous le poste de surveillance. Pendant une demi-heure, le travail a été interrompu, et il nous a été ordonné d'être les plus silencieux possible. Apparemment, il s'agissait d'une mission de reconnaissance. Ils ont commencé à dégager un pan de forêt pour y installer un campement. Ils ne voient pas l'Expédient à cause de la ligne de crête qui nous sépare, ce qui ne m'empêche pas de me sentir trop près d'eux.

Notre deuxième après-midi sur cette île s'est déroulé dans une atmosphère industrieuse mais calme. Charlie et moi sommes revenus avec une pêche des plus respectables, ce que Doug a mis sur le compte d'un nouveau choix de mouches. Le capitaine nous a rappelés vers quatre heures, sur quoi mon frère et moi avons été priés de porter de l'eau fraîche aux guetteurs de la redoute.

Nous avons grimpé jusqu'au col et avons eu notre premier aperçu des fortifications de Maître Aa. Les Sujing ont défriché les buissons et construit un mur de bambous haut de trois mètres ; par ailleurs ils sont en train de creuser à son pied comme des furieux pour le renforcer. M. Chambois a mis au point une catapulte, en vue de soutenir notre ligne de défense. L'engin repose sur une plate-forme terreuse et a des allures dangereusement moyen-âgeuses. Xu et Xi sont venus nous accueillir, affirmant en plaisantant qu'ils avaient abattu tout le travail pendant que nous nous amusions à récolter des vivres. Doug a en effet ramassé et livré à la cuisine cinquante-deux noix de coco, douze pastèques et deux cent vingt-huit bananes. Il prétend également avoir mis au jour de nouvelles espèces de papillons, un lézard géant et un python, mais a sagement préféré ne pas rapporter ces derniers à Mme Ives.

J'ai demandé au capitaine si Mère et Père avaient envoyé des informations au Cercle à propos de leur expédition. J'ai beau ne pas arriver à mettre le doigt dessus, il y a quelque chose de louche dans ces lettres.

– Entrez ! lança le capitaine.

Becca poussa la porte de son bureau. Son oncle tenait une feuille de papier, fragile à force d'avoir été lue. Des bruits de marteau et de métal défoncé provenaient de la pièce voisine abritant le système de gouverne.

– Vous souhaitez me voir, capitaine ?

– Tu m'as interrogé un peu plus tôt sur d'éventuels échanges entre tes parents et le Cercle avant leur départ. Il faut que tu saches qu'ils n'ont jamais révélé le but de leur voyage au Xinjiang.

– Je comprends.

– Tiens, ajouta-t-il en lui tendant le papier, voici leur dernier communiqué. Prends-le, lis-le… je l'ai personnellement parcouru une centaine de fois en espérant y trouver des indices. Rien ne m'a sauté aux yeux. Par ailleurs, je… je souhaitais aussi t'entretenir de ton appartenance au Cercle.

– Je vous l'ai dit, je refuse d'y entrer.

L'oncle MacKenzie invita sa nièce à s'asseoir dans un fauteuil, près de sa table de travail. Cette pièce était la cabine la plus confortable du navire. Le bureau tendu de cuir était placé sous une grande baie vitrée qui donnait sur un balcon, sorte de véranda privée à la poupe de l'*Expédient*. Tandis que le capitaine s'installait et tirait une pipe d'un râtelier fixé au mur, une brise souleva légèrement les documents recouvrant le bureau. Becca distingua une vaste carte de la Chine, ainsi que des pages de notes manuscrites.

LES 99 ÉLÉMENTS

Ensemble de manuscrits attribués à la civilisation tembla aux alentours de 4 000 avant J.-C. et regroupant les connaissances des Temblas en matière de sciences et de philosophie. À ce jour, ces écrits n'ont pas encore été entièrement déchiffrés, malgré les efforts de générations d'érudits.

– J'admets tes réticences, commença le capitaine avant de s'interrompre quelques secondes. Figure-toi, reprit-il, que ce sont exactement les mêmes que celles que j'ai opposées à *mon* oncle, lorsqu'il m'a invité à rejoindre les rangs du Cercle. J'étais un peu plus âgé que toi, à l'époque.

– Quelles étaient vos raisons ?

– Mon père, ton grand-père, avait été tué. C'était un savant, qui travaillait à l'extrême limite de nos connaissances sur les *99 Éléments*. Une expérience a mal tourné. Lui et quelques autres…

AMÉNAGEMENT GÉNÉRAL
DES CABINES ARRIÈRE DE L'EXPÉDIENT

Illustration réalisée à partir des plans de l'Expédient
et des descriptions figurant dans le journal de Becca.

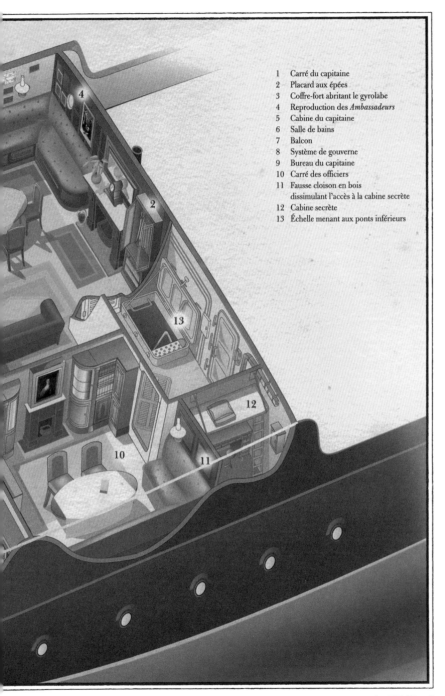

1 Carré du capitaine
2 Placard aux épées
3 Coffre-fort abritant le gyrolabe
4 Reproduction des *Ambassadeurs*
5 Cabine du capitaine
6 Salle de bains
7 Balcon
8 Système de gouverne
9 Bureau du capitaine
10 Carré des officiers
11 Fausse cloison en bois
   dissimulant l'accès à la cabine secrète
12 Cabine secrète
13 Échelle menant aux ponts inférieurs

Une fois encore, l'homme se tut. Il contempla l'île pendant quelques instants.

– De bien des façons, enchaîna-t-il enfin, Liberty a raison. Le Cercle est une dangereuse cabale. Mais nos intentions sont bonnes. La cause est juste, crois-moi. Protéger ces secrets est un honneur.

– Un honneur douteux.

– Notre devoir. Les *99 Éléments* nous alertent sur une puissance extraordinaire qui peut devenir tant créatrice que destructrice. Manipuler cette science sans précaution nous mènerait au désastre. Le Cercle n'a pas l'intention de garder le mystère à jamais, il veut seulement le protéger jusqu'à ce que nous l'ayons entièrement compris.

– Ce que je comprends, moi, se récria la jeune fille en sautant sur ses pieds, c'est que mes parents ont disparu quelque part en Chine, et que si le Cercle doit en être tenu pour responsable, vous exigez beaucoup de moi en m'invitant à soutenir votre croisade scientifique. J'aimerais avoir l'avis de Père et de Mère avant d'adhérer, et qu'ils m'expliquent de quoi il retourne. S'ils sont morts, si leurs liens avec votre organisation sont ce qui les a tués, il me semble que Liberty n'a pas tort.

– Chère Rebecca, je suis désolé, mais ils sont sûrement morts. C'est une réalité qu'il te faut accepter.

– Alors, il m'incombe de découvrir comment et pourquoi. Voici une autre réalité que *vous* devez accepter, mon oncle !

Ce soir-là, Xu et Xi gagnèrent la cabine de Doug peu après vingt-deux heures. Dans la lueur de la lampe à huile, une petite fête tardive se déroula. Assis autour des restes d'un pudding à la noix de coco, les enfants se racontèrent des histoires de fantômes inspirées par les squelettes trouvés sur la péninsule. Puis la conversation s'orienta sur l'éducation des uns et des autres. Les anecdotes de Becca et Doug sur Lucknow, New York et Londres fascinaient Xu et Xi. Ces villes cosmopolites semblaient à des millions de kilomètres de l'île équatoriale sur laquelle ils étaient en ce moment.

– Et vous, vous avez toujours vécu à Shanghai ? leur demanda ensuite Doug.

Xu éclata de rire et donna un coup de coude à son frère.

– Nous ne sommes pas chinois, expliqua ce dernier.

– Ben non, puisque vous êtes grecs, affirma Becca.

– Pas du tout !

– Comment ça ? insista la jeune fille. Après tout, votre père est Maître Aa.

– Tu nous as déjà entendus l'appeler ainsi ? s'esclaffa Xu.

– Notre père était un marchand d'Osaka, renchérit Xi. Nous sommes japonais.

– Pourtant, vous appartenez à l'ordre des Sujing Quantou !

– Ils nous ont adoptés. Un grand honneur. Notre famille avait combattu à leurs côtés il y a des siècles, à l'ère des guerres civiles[8]. Le lien est resté. Nos parents ont été tués peu de temps après notre naissance.

– Je… excusez-moi.

– Nous n'avons toujours connu que les Sujing Quantou.

– L'ère des guerres civiles, demanda Doug, c'était les guerres Ha-Mi ?

– Non, pouffa Xi. Tu devrais le savoir, ton oncle ne t'apprend rien ?

– Nous… enfin, je suis un peu en retard sur mon programme consacré au Cercle.

---

8. Longue période de troubles et de luttes de suprématie entre grands seigneurs nippons, de 1467 à 1575. *(N.d.T.)*.

1718 *Octobre:* Maître Da'ar, supérieur du chapitre septentrional des Sujing
(plus tard, les Kalaxx), empoisonne Tal, le Grand Maître des Sujing Quantou,
au cours d'une conspiration visant à s'emparer du pouvoir pour mettre la main
sur la mine et la raffinerie de Fille du Soleil, à Khotan. Le complot est découvert,
et le chapitre septentrional est exclu de la fraternité. On lui supprime également
ses stocks de Fille du Soleil, et ses membres sont exilés dans le désert de Gobi.
Maître Da'ar s'enfuit et rallie ses forces à Turfan.

1719 *Février:* désireux de s'emparer par la force du temple de Khotan, le chapitre
septentrional conclut une alliance avec les Ha-Mi, un ordre guerrier mongol.
    Avril: le chapitre septentrional et les Ha-Mi franchissent le désert du
Takla-Makan et gagnent Khotan. Leur attaque n'échoue qu'à cause des explorateurs
du CS Duncan et Cameron MacKenzie qui réussissent à prévenir les Sujing Quantou
à temps. L'agression est déjouée, et les troupes de Maître Da'ar se retirent.
Les MacKenzie s'associent aux chapitres occidental et oriental afin de défaire
l'alliance Sujing du Nord/Ha-Mi.
    Juin-octobre: de nombreuses patrouilles disparaissent lors d'escarmouches.
    Novembre: une mission en vue d'infiltrer l'état-major du chapitre septentrional
à Turfan découvre des cartes indiquant l'emplacement de la base secrète des traîtres
Sujing et des Ha-Mi, dans laquelle ils s'entraînent et se réarment afin de relancer
une offensive au printemps.

1720 *Février:* les Sujing Quantou attaquent les premiers. Les armées rivales
s'affrontent dans les montagnes Célestes, au nord de Kucha. Les combats durent
trois jours, mais leur issue est peu concluante, puisque chaque camp revendique
la victoire. Cependant, l'ampleur des pertes est telle – plus de mille hommes
de part et d'autre – que les adversaires se replient sur leurs lignes.
    Août: des espions œuvrant sur la route de la soie révèlent que les Ha-Mi
et le chapitre septentrional ont établi leur campement près de Kourgan et s'apprêtent
à marcher sur Khotan.
    22 septembre: les troupes des Sujing Quantou tendent une embuscade
à la sortie de Kopa. C'est un succès, et Maître Da'ar est fait prisonnier. Le fils
de Da'ar et trois cents de ses guerriers réussissent à s'enfuir et à gagner Ayor-Nor.
    1ᵉʳ octobre: est signé le traité de Khotan, par lequel les Sujing Quantou
récompensent Duncan et Cameron MacKenzie pour leur aide en leur offrant
le gyrolabe de l'est. Il leur est interdit d'emporter les chapitres des *99 Éléments*
l'accompagnant, mais l'accès de ces derniers reste ouvert à tous les membres du CS.
En échange, Duncan et Cameron s'engagent, au nom du CS, à informer les Sujing
Quantou de toute découverte éventuelle faite au sujet de la Fille du Soleil, et ce
sans limite de temps.
    2 octobre: Cameron part pour Florence avec le gyrolabe de l'est.
    Décembre: Duncan et le chapitre occidental soumettent les derniers éléments
du chapitre septentrional qui se sauve vers la Russie. Ainsi s'achèvent les guerres
Ha-Mi. Duncan disparaît.

– Les guerres Ha-Mi se sont déroulées en Chine, il y a deux cents ans, et elles opposaient les Sujing Quantou et les Ha-Mi, un ordre guerrier mongol. Le Cercle était de la partie aussi, de notre côté. Allié aux Ha-Mi, le chapitre septentrional de notre Ordre, les ancêtres de ces chiens de Kalaxx qui se trouvent sur l'île voisine, voulait s'emparer de la mine et de la raffinerie de Fille du Soleil situées sous le temple des Sujing Quantou, à Khotan.

– Ils ont bien failli réussir, enchaîna Xu en prenant le relais. Mais la trahison du chapitre septentrional a été éventée par deux de vos ancêtres écossais. Dooncarn et Kar-mer-oon.

– Duncan et Cameron MacKenzie! corrigea Becca en riant à son tour.

– Vous en avez entendu parler?

Doug et Becca acquiescèrent. Une vieille peinture à l'huile représentait leurs aïeux, au-dessus de la cheminée, dans la salle à manger de Lucknow. Doug se sentait un peu piqué que les jumeaux semblent en savoir plus sur son arbre généalogique que lui-même.

DUNCAN ET CAMERON MACKENZIE

Frères écossais ayant le goût de l'aventure, ils furent les premiers MacKenzie à entrer dans le Cercle. Anciens de la révolte des jacobites qui avorta en 1715, ils se réfugièrent en Italie, où ils se joignirent à une expédition au Xinjiang organisée par le CS. Avec leurs pur-sang, Little Mountain Barb et Lister Turk, ils partirent pour en découvrir plus sur les 99 Éléments. En 1720, ils signèrent le traité de Khotan, et Cameron retourna vers Florence à bride abattue en emportant avec lui le gyrolabe oriental. Duncan et Little Mountain Barb restèrent en Extrême-Orient pour tenter de localiser le gyrolabe du sud. Cameron eut beau revenir chercher son frère, ce denier disparut sans laisser de traces, de même que son cheval.

– C'étaient de grands voyageurs, reprit Xi. Des explorateurs. Ce sont eux qui ont fait capoter l'attaque sur le temple de Khotan. Vos arrière-arrière-arrière-etc-grands-parents se sont unis aux chapitres oriental et occidental de l'Ordre pour vaincre l'alliance du chapitre septentrional et des Ha-Mi.

– Tous les ans, à Khotan, on commémore la victoire, ajouta Xu.

– On a un feu d'artifice qui explose en dessinant un tartan ! Tel était le souhait de Kameroon, à la première fête. Et en plus, ajouta-t-il en se tordant de rire, les larmes aux yeux, cette fois-là, ils ont dansé au-dessus d'épées en croix et ils portaient… des jupes !

– Une fusée-tartan ! Mortel ! s'exclama Doug.

– N'importe quoi ! bougonna sa sœur.

– C'est vrai ! Et même, ces deux MacKenzie ont signé le traité de Khotan avec nos ancêtres. Nous leur avons offert le gyrolabe de l'est et, en échange, ils ont promis que le Cercle partagerait toutes ses découvertes sur la Fille du Soleil avec nous. Après la cérémonie, ils se sont séparés. Kameroon est reparti vers l'Europe à cheval avec le gyrolabe, et Dooncarn est resté en Chine pour nous aider à traquer les Ha-Mi.

– Que lui est-il arrivé ?

– Il a disparu.

– Il ne peut pas s'être évaporé comme ça !

– Si. Avec son cheval, même ! La légende raconte que les Ha-Mi l'ont attrapé une nuit, après l'avoir empoisonné avec un somnifère. C'était bien leur genre, pareille félonie !

– Ainsi, Duncan a disparu corps et biens ?

– Oui, dans les déserts du Xinjiang. Cet endroit ne porte pas chance aux MacKenzie.

– Non, en effet, admit Doug en pensant à ses parents.

Croisant son regard, Becca lui adressa un sourire triste.

CHAPITRE CINQ

À huit heures le lendemain matin, perché sur la crête qui surplombait la redoute, Doug reposa le combiné du téléphone de campagne en souriant: la Friture venait de lui annoncer l'arrivée du capitaine.

Suivant les instructions de Maître Aa, la garde Sujing avait été doublée, et une petite ligne de tranchées avait été ajoutée dans la nuit. Pour plus de sécurité, on avait piégé les alentours. Peu avant l'aube en effet, une espèce de vrille destinée à creuser des tunnels avait émergé dans le flanc de la colline. Elle était maintenant garée dans la clairière où les Kalaxx avaient établi leur campement. Le capitaine avait prié Chambois d'accompagner Becca et Doug au poste d'observation afin d'y espionner plus avant la machine.

– Quel engin extraordinaire! s'émerveilla le Français, les yeux vissés sur le télescope de l'oncle MacKenzie. Si seulement nous savions combien de ces tunneliers possède Pembleton-Crozier... leur vitesse, leur rendement...

S'allongeant dans l'herbe, Doug essaya de se représenter que la terre tournait sous son dos, et la façon dont la gravité l'empêchait de s'envoler dans l'espace. De son côté, Becca observait les deux guerrières Sujing Quantou qui montaient la garde. Ni l'une ni l'autre n'avaient prononcé la moindre parole depuis qu'ils étaient arrivés à la redoute. Assises, leur glaive prêt à servir, elles épiaient les Kalaxx qui s'occupaient de leur machine, en contrebas. L'une d'elles semblait être du même âge que le capitaine, et ses cheveux étaient striés de gris ; sa compagne, plus jeune, avait la joue abîmée par une récente blessure reçue au cours de la bataille de l'île de Wenzi.

– Je m'appelle Rebecca, lança l'adolescente d'une voix ferme. Et vous ?

Se tournant très lentement, l'aînée des Sujing hocha la tête avec sur les lèvres un sourire d'une grande sérénité.

– Je suis Ba'd Ak, se présenta-t-elle.

Becca se tassa sur elle-même. Les mots avaient été dits avec une telle intensité, et le regard de la femme était si concentré qu'elle en était presque effrayante. Sa phrase terminée, elle reprit sa posture initiale et continua de surveiller ce qui se passait dans la clairière. Visiblement, elle n'ajouterait rien.

– La conversation n'est pas leur fort, fit remarquer Doug en se redressant. L'autre s'appelle Tak'a Chi.

– Comment le sais-tu ?

– J'ai interrogé Xi pendant notre tour de garde. Ba'd Ak est l'épouse de Maître Aa, précisa-t-il en chuchotant.

Becca fut irritée de constater que son frère s'était intégré à l'univers des Sujing Quantou avec la même aisance que celle qui lui avait permis de devenir un membre à part entière de l'équipage de l'*Expédient*.

– Tu connais leur nom à tous ?

– Presque. Chacun a une arme de prédilection où il excelle. Ba'd Ak, ce sont les étoiles à lancer. Tak'a Chi, c'est la technique des trois glaives.

ÉTOILES À LANCER

Ba'd Ak transportait quatre étoiles à lancer ornées du motif traditionnel de la tête de bélier stylisée. Lorsque l'arme entrait en contact avec l'ennemi, le mécanisme central injectait du venin de serpent à travers les pointes des lames.

(AM 00.22351 SUJ)

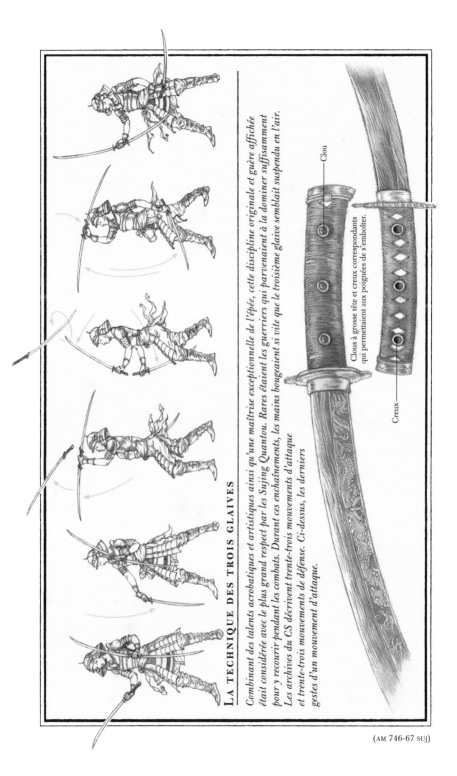

LA TECHNIQUE DES TROIS GLAIVES

Combinant des talents acrobatiques et artistiques ainsi qu'une maîtrise exceptionnelle de l'épée, cette discipline originale et guère affichée était considérée avec le plus grand respect par les Sujing Quantou. Rares étaient les guerriers qui parvenaient à la dominer suffisamment pour y recourir pendant les combats. Durant ces enchaînements, les mains bougeaient si vite que le troisième glaive semblait suspendu en l'air. Les archives du CS décrivent trente-trois mouvements d'attaque et trente-trois mouvements de défense. Ci-dessus, les derniers gestes d'un mouvement d'attaque.

Clou

Clous à grosse tête et creux correspondants qui permettaient aux poignées de s'emboîter.

Creux

Ba'd Ak et Tak'a Chi. Cahier à dessins de Doug. (CDM 3/39)

– Elle se bat avec trois épées en même temps ?

– C'est ce que prétend Xi. Méfiance quand même. Lui est un spécialiste des balivernes. Il affirme que ça ressemble un peu à de la jonglerie, en plus dangereux cependant.

Le garçon s'aplatit sur le sol, prit ses jumelles et se focalisa sur un point de mire : un sillage en V à la surface de la mer, plate ce matin-là.

– Le périscope poursuit sa route en direction de la mine, annonça-t-il.

Il se rassit et se mit à compléter la carte qu'il avait entrepris de dresser de l'île de la Soufrière et du campement kalaxx. Il utilisait un théodolite afin d'être le plus précis possible. Plusieurs détails l'intriguaient, notamment un bâtiment en forme d'étoile. Le mât à croisillons aurait également mérité une explication. Chambois était convaincu qu'il servait à transmettre et recevoir des signaux radio, ce dont Doug doutait cependant. Il inscrivit « éventuel derrick » d'un crayon léger, car cela y ressemblait vraiment.

À cet instant, le capitaine apparut, marchant aussi vite que sa patte folle le lui permettait.

– Où est ce périscope ? demanda-t-il.

– Il a émergé il y a une vingtaine de minutes environ, expliqua Chambois en lui tendant le télescope. Nous avons d'abord cru qu'il s'agissait d'un requin ou d'une baleine, mais sa trajectoire était trop rectiligne pour ça. Il est presque arrivé à l'île de Pembleton-Crozier.

– Je l'ai. Bien joué, messieurs.

– J'ai pratiquement terminé mon rapport sur le tunnelier, capitaine, enchaîna l'ingénieur. Il me semble que ces engins creusent sous l'eau, et que ces îles sont reliées entre elles par les galeries de mine. Ainsi, les machines peuvent passer de l'une à l'autre sans difficulté.

– Elles fonctionnent à quelle énergie, à votre avis ?

– L'électricité, tout bêtement. Le pétrole ou le diesel sont impossibles, car les mineurs seraient empoisonnés par les émanations toxiques rejetées. Il reste néanmoins un problème que je n'ai pas résolu.

– Lequel ?

– La source de cette énergie. Les engins sont branchés sur le territoire de la mine, tous les câbles mènent à la sous-station qu'on distingue, là-bas. Mais où se trouve le générateur alimentant cette dernière ? Apparemment, il n'est pas

LE THÉODOLITE

Instrument de visée servant à mesurer les angles horizontaux et verticaux. Doté d'un trépied, il est constitué d'un télescope capable de tourner sur deux axes perpendiculaires. Le repérage se fait à partir de deux points de vue différents qui sont ensuite superposés ; puis une simple triangulation mathématique permet d'établir la position précise d'un repère sur une carte.

(Voir annexe 4.)

dans le campement, car je n'aperçois ni tours de refroidissement, ni fumées, ni rien qui indiquerait la production de quantités d'électricité suffisantes pour propulser des tunneliers aussi énormes.

– Se pourrait-il qu'il soit situé derrière cette petite colline? On distingue le faîte d'un dôme.

– Où sont la fumée et la vapeur, cependant? Elles sont indissociables de la production d'énergie. Non, je ne pense pas que le générateur soit là-bas.

Silhouettes sur le kiosque du sous-marin. Cahier à dessins de Doug. (CDM 3/45)

Soudain, du côté de l'île de la Soufrière, l'eau se mit à bouillonner dans la rade, et la superstructure menaçante d'un sous-marin émergea. Le capitaine pointa son télescope sur le kiosque, tandis qu'une silhouette s'extirpait du sas d'étanchéité avant de se coiffer de son chapeau.

Le tunnelier
kalaxx de type III

DOCUMENT CONFIDENTIEL

Dessin à l'échelle – Bon à tirer

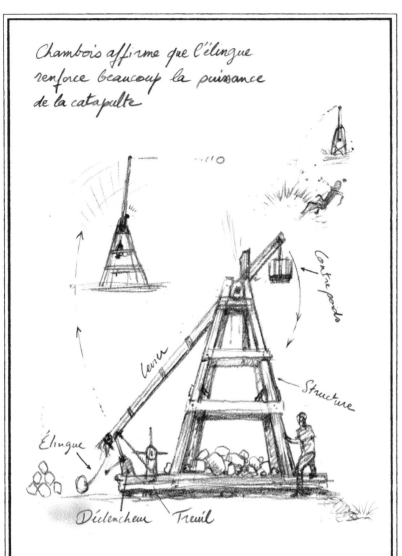

Chambois affirme que l'élingue renforce beaucoup la puissance de la catapulte

Contrepoids

Structure

Levier

Élingue

Déclencheur Treuil

DIAGRAMME DE LA CATAPULTE DE CHAMBOIS

Ce croquis tiré du cahier à dessins de Doug représente les principales pièces de la catapulte mise au point par l'ingénieur en vue de défendre l'Expédient. Bien qu'il ait montré peu d'intérêt lors des premières démonstrations, Doug – d'après le journal de Becca – devint plus tard obsédé par les mécanismes de cet engin et passa des heures à argumenter ferme avec le Français, afin d'améliorer son invention.

– Enfer et damnation, c'est Borelli! s'écria-t-il. Que diable fait-il ici? Et la femme de Pembleton-Crozier, Lucretia. Décidément, les événements prennent une tournure étrange.

– Qui est Borelli, mon oncle?

– Le directeur scientifique du Cercle, à Florence… et un membre du Directoire. Et le voici qui serre la main de Pembleton-Crozier!

Journal de Becca: 9 mai 1920

Les mots contenus dans la lettre de Mère n'ont cessé de me hanter. «Je vous confie un document que vous ne devrez montrer qu'à une seule personne… C'est un ami de confiance. Vous le reconnaîtrez à ses yeux bleus et à sa moustache impressionnante.»

Sauf que Borelli est ici, et que nous l'avons surpris à converser avec notre ennemi juré, à moins de cinq kilomètres d'ici. J'ai bien vu que Doug s'interrogeait, lui aussi. Si nos parents et ce Borelli étaient amis, sommes-nous sur la mauvaise île? Le capitaine est-il notre véritable adversaire, et Pembleton-Crozier notre allié?

Vers dix heures, nous avons été relevés de notre tour de garde sur la crête par Sam l'Anguille et la Friture. Doug et moi sommes redescendus en compagnie de Chambois, nous arrêtant à la redoute pour inspecter la fronde du Français. Ce dernier nous a expliqué son fonctionnement avec une fierté non dissimulée, détaillant ses raffinements, surtout l'élingue qui, apparemment, est une invention géniale. Cependant, même Doug était trop absorbé par ses pensées contradictoires concernant l'arrivée de Borelli pour prêter beaucoup d'attention au Français. Le pauvre Chambois m'a paru quelque peu blessé de ce manque d'enthousiasme.

À notre retour au bateau, Mme Ives nous a de nouveau distribué des paniers, et nous avons été envoyés au ravitaillement. Ramasser des noix de coco est vraiment le cadet de mes soucis, en ce moment.

– C'est peut-être un autre Borelli ? suggéra Doug tandis qu'ils pénétraient dans l'épaisse jungle bordant le cimetière.

De son panier vide, Becca repoussa une grande fougère qui leur barrait le chemin.

– Inutile de rêver, rétorqua-t-elle. Ça ne peut être que lui. J'ai réussi à obtenir du capitaine le dernier communiqué envoyé par Père et Mère, tu sais.

– Hein ?

– Tu te souviens que j'avais des doutes sur la lettre aux Jukes. Eh bien, j'avais raison.

Elle sortit le télégramme de sa poche. Doug le lui arracha des mains pour le lire à haute voix.

– « Au Directoire du CS, Florence. Prenons la route du nord en direction du Xinjiang, via le col de Mintaka. Retour prévu à Lucknow d'ici 4 mois. H. et E. MacK. » Ça ne nous aide pas beaucoup, Becca.

– Tu ne vois donc pas ?

– Qu'y a-t-il à voir, répliqua son frère avant de relire la missive et de hausser les épaules.

– Réfléchis. Où vivent les Jukes ?

– À Srinagar.

– Exact. Et maintenant, où se trouve le col de Mintaka ? Rappelle-toi, nous l'avons passé lorsque nous sommes allés dans l'Hindu Kush.

– Au nord de Hunza.

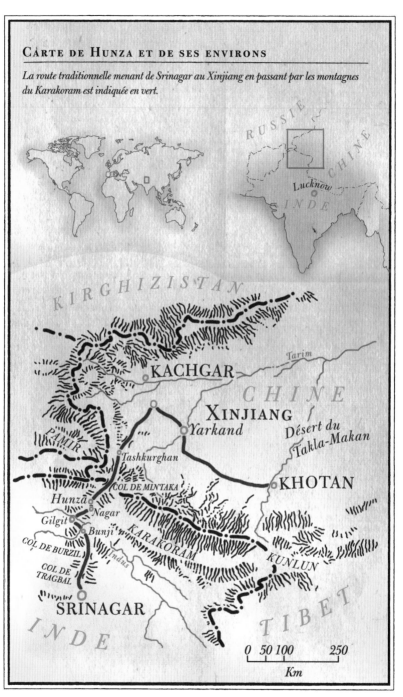

CARTE DE HUNZA ET DE SES ENVIRONS

La route traditionnelle menant de Srinagar au Xinjiang en passant par les montagnes du Karakoram est indiquée en vert.

RUSSIE

CHINE

Lucknow

INDE

KIRGHIZISTAN

Tarim

KACHGAR

CHINE

XINJIANG

Yarkand

Désert du Takla-Makan

PAMIR

Tashkurghan

KHOTAN

COL DE MINTAKA

Hunza

Nagar

Gilgit

Bunji

KARAKORAM

COL DE BURZIL

Indus

KUNLUN

COL DE TRAGBAL

SRINAGAR

INDE

TIBET

0 50 100   250

Km

– Bon sang, Doug ! Tu es complètement borné, ou quoi ? Qu'est-ce qui est au sud de Hunza ?

Le visage du garçon s'éclaira soudain.

– Srinagar ! s'écria-t-il. Quand bien même, que faut-il en conclure ?

– Mère a écrit aux Jukes, qui vivent à Srinagar. Mais elle a laissé ce mot dans son coffret de correspondance. Or, à en croire le communiqué expédié au CS, les parents ont dû passer juste à côté de chez leurs amis en se rendant au col de Mintaka. C'est le chemin le plus rapide pour gagner la Chine. Voilà ce qui me turlupine depuis que j'ai découvert les lettres. Pourquoi n'a-t-elle pas porté en personne son courrier aux Jukes ? Ça n'a aucun sens.

– Logiquement donc, Père et Mère auraient rejoint le Xinjiang par un autre chemin, renchérit-il. Mais pourquoi avoir menti au CS ?

– Pour brouiller les traces. Ils n'avaient pas confiance dans le Cercle. C'est la seule explication qui tienne.

– Cela met-il Borelli de notre côté ou non ? Devons-nous lui porter le message codé de Mère ? Que faut-il faire, Becca ?

– Nous interroger, soupira-t-elle, aussi embêtée que lui. Que savons-nous ? Qu'avons-nous appris de tangible, soit par hasard, soit parce que nous en avons été témoins ? Ce sont là les seuls éléments auxquels nous puissions nous fier avec certitude.

– Pour commencer, nous sommes sûrs que P-C est fou, assena Doug avec une conviction inébranlable. Selon la lettre, Père et Mère étaient des amis de Borelli, or celui-ci est copain avec P-C – nous les avons vus échanger une poignée de main. Ce qui m'échappe, c'est que P-C était un pote de

Sheng-Fat, or je n'imagine pas les parents se lier à un type
pareil. Ni à P-C, d'ailleurs. Enfin, j'espère.

– Sheng-Fat n'avait jamais entendu parler des MacKenzie.
Par conséquent, nous pouvons être certains qu'il ne connaissait pas nos parents.

– Le capitaine est *forcément* du bon côté, enchaîna Doug.
Jusqu'à présent, il a respecté ses engagements.

– Et si nous décidions de ne faire confiance à personne ?
proposa Becca. En tout cas, pas tant que nous n'aurons pas
déchiffré le message codé ?

– Mais j'ai prêté serment au Cercle, se récria son frère.
Impossible de me rétracter. J'aime le capitaine. L'*Expédient*
aussi. Et l'équipage. Charlie m'a sauvé la vie.

– Sauf que le courrier de Mère qualifie Borelli d'ami.

– Elle l'a rédigé il y a plus d'un an. C'est long.

– Le seul moyen de s'y retrouver, c'est de dégoter les livres
de chiffrement pour décoder la note secrète.

– Ben voyons ! Et comment comptes-tu t'y prendre ?

– Borelli doit en avoir un jeu. Nous allons devoir le récupérer à bord de son sous-marin.

– Pas question ! s'emporta Doug en toisant sa sœur.
Cela irait à l'encontre de ma promesse au capitaine et
au Cercle. Je suis convaincu que notre oncle n'est pas un
traître, et…

À cet instant, des pierres roulèrent non loin de là. Le garçon
se tut. Le cœur battant, il écarta les frondaisons alentour.

– Liberty !

La jeune femme était assise sur un rocher, un peu plus haut.

– Salut, cousins !

– À quoi jouez-vous ? lança Becca.

– Voilà une drôle de façon d'accueillir une vieille alliée.

Dites-moi, quand m'avez-vous repérée ? Vous m'avez aperçue malgré toute cette verdure ?

– Non.

– Parfait.

Se baissant, Liberty marqua le rocher d'une croix, à la craie.

– Que signifie votre manège ?

– J'assure mon avenir. Voyez-vous, je contemplais ces os que vous avez dénichés hier, et ça m'a poussée à méditer. En général, je me considère comme une fille plutôt optimiste, mais rien sur cette île ne me donne beaucoup d'espoir quant à ma survie d'ici la semaine prochaine.

– Le navire sera bientôt réparé, s'offusqua Doug. Il repartira. Le capitaine nous l'a dit.

– Il dit beaucoup de choses, le capitaine. Une de ces infernales vrilles qui creusent la terre risque de surgir à tout moment, désormais, et les Kalaxx de nous découvrir. Bien malin qui peut affirmer quand le timon sera en état de fonctionner. Sans compter que, après, il faudra remettre à l'eau cette coquille de noix. Alors, excusez-moi, mais je préfère parer à toute éventualité.

Ramassant son tromblon, Liberty s'éloigna de quelques pas.

– Mais les Sujing Quantou ont construit une ligne de défense ! insista Doug.

– Les Kalaxx ont des bateaux. Maître Aa sait bien qu'il ne résistera pas longtemps avec dix guerriers.

– M. Chambois creuse une rampe de mise à l'eau sous l'*Expédient*. Il m'a montré ses plans hier.

– Sauf qu'ils seraient tombés sur de la roche ce matin, répliqua l'Américaine, et que ce projet ne va pas être facile à réaliser. De penser que nous risquons de terminer comme ces pauvres gars me rend nerveuse, ajouta-t-elle en hochant le menton en direction du cimetière. Bon, et maintenant, vous me voyez ?

– Non.

Quelques secondes plus tard, Liberty apparut sur un autre rocher en surplomb.

– Voilà un bon endroit, décréta-t-elle en le marquant de sa craie avant de disparaître, sa voix continuant à résonner dans la jungle. Pour moi, ces macchabées sans tête qui sont morts de haute lutte étaient de fins stratèges. Le piton que je suis en train d'escalader rappelle un château fort. Facile à défendre, difficile à prendre.

Elle surgit brusquement d'un petit ravin situé derrière les enfants.

– Si nous sommes agressés, poursuivit-elle, nous pourrons nous réfugier ici. Malheureusement, cela voudra dire abandonner le vaisseau.

– Mais l'*Expédient* est notre seul espoir de quitter cette île !

– En es-tu bien sûr, Doug ? Ce bateau me paraît aussi usé qu'un bourricot de louage. Il y a peu de chance qu'il reprenne un jour la mer. Et s'il nous faut aller au feu, je compte bien descendre un maximum de Kalaxx avant qu'ils m'achèvent. À présent, suivez-moi, cousins. Voici le chemin le plus facile pour grimper.

Le sommet du piton offrait une excellente vue de l'*Expédient* dans sa baie et du paysage à l'est de l'île. Le ciel était dénué de nuages, et le soleil tapait dur. Les promeneurs furent forcés de s'arrêter pour reprendre leur souffle. Doug était toujours aussi décontenancé par l'analyse qu'avait Liberty de leur situation.

– Et l'équipage ? argua-t-il. Les Sujing Quantou ne sont pas la seule force dont nous disposons.

– Sont-ils occupés à réparer le navire ou à combattre cinq cents mineurs assoiffés de sang ?

– Pensez aussi aux anciens otages, intervint Becca. Certains seront prêts à lutter, j'en suis sûre.

– Non mais tu imagines les veuves chantantes en pleine action ? Leur seule arme réelle, c'est quand elles partent dans les aigus.

Liberty ne s'en laissait pas conter et avait réponse à tout. Doug glissa le long de la roche lisse et se dirigea à grands pas vers une grosse pierre où la Texane avait écrit : DERNIÈRE DÉFENSE. Tel était l'endroit où elle avait choisi de tomber face à l'ennemi. Il contempla le sentier qu'ils avaient suivi. La végétation s'amenuisait aux environs du sommet, et les Kalaxx auraient du mal à rester à couvert. Tournant la tête, il entendit soudain un craquement. Sous son pied gauche, le terrain céda, et il tomba en moulinant des bras. Il s'effondra jusqu'à la taille dans un trou, tout en ratissant désespérément les broussailles alentour pour retenir sa chute.

– Becca !

Celle-ci se précipita pour lui porter secours, mais le sol se déroba aussi sous elle, et elle trébucha. Liberty ne perdit pas un instant. Bientôt, elle attrapait Doug par le collet, le sortant de sa mauvaise posture. Elle jeta un coup d'œil à l'intérieur de la crevasse à travers laquelle il avait failli disparaître.

– On dirait un vieux tunnel, cousin Douglas, annonça-t-elle en extirpant une planche fendue de l'anfractuosité. Regarde. Le plafond a été renforcé par des étais en bois. Ensuite, ils ont sûrement jeté de l'herbe par-dessus.

– Où conduit-il ? s'enquit Becca en se relevant.

– Vers toi, forcément, raisonna son frère. On voit que le sol s'enfonce.

– Tu as raison, confirma Liberty en inspectant le tracé de la dépression, une main en visière pour se protéger du soleil. Cette galerie ramène au piton. Allons voir ça de plus près, décida-t-elle en s'enfonçant dans le trou. Nous avons peut-être trouvé une autre façon de quitter cette île.

Ils suivirent le souterrain lentement, à demi voûtés, s'habituant peu à peu à l'obscurité et à l'odeur de renfermé. L'Américaine ouvrait la marche, éclairée par le faible faisceau de sa lampe de poche. L'air était plus sec et plus frais qu'à l'extérieur, mais suffisamment confiné pour que Doug se sente vaguement claustrophobe.

– Attention aux populations indigènes, avertit Liberty. Les serpents et les araignées.

Ils dépassèrent le lieu où le toit s'était effondré sous le poids de Becca et se rendirent compte que le tunnel s'enfonçait brutalement sous terre. La partie où ils se trouvaient avait été taillée dans la roche naturelle, y compris des encoches pour les pieds et des espèces de marches. En bas gisaient les restes d'une échelle en bois.

Plus loin, la galerie s'élargit, et la progression des trois curieux se fit plus aisée, même s'ils durent ramper à quatre pattes en certains endroits. Quelques minutes plus tard, ils débouchèrent dans une grotte. Liberty braqua sa torche au centre, sur une table qui s'était effondrée sous l'effet de la décrépitude.

– Non mais regardez-moi ça! s'exclama Liberty. Une vraie planque.

Elle illumina les contours de la caverne.

Liberty et Becca
explorent la grotte.

Cahier à dessins de Doug. (CDM 3/56)

– Ça ressemble à une espèce de magasin, chuchota Doug. Tenez, là-bas, il y a des pelles, des haches, des palans, de la toile…

– Et des armes, renchérit l'Américaine en pointant sa lampe sur une rangée de mousquets poussiéreux derrière lesquels cinq canons à chargement par la gueule étaient soigneusement rangés le long de la paroi, toujours posés sur leurs affûts.

– Ce sont les mêmes que ceux qui sont dehors.

– Comment ont-ils réussi à les amener ici ?

– Il y a peut-être une entrée ailleurs, réfléchit Doug en inspectant un couloir latéral obstrué par des débris. Le tunnel par lequel nous sommes descendus pourrait n'avoir été qu'une sortie de secours.

À la lueur de la torche, Becca distingua un bout de papier aux bords brûlés, qui traînait par terre, près des canons. Il y avait très longtemps de cela, quelqu'un l'avait utilisé comme allume-feu de fortune. La feuille, qui bruissait sous les doigts, était couverte d'une écriture fleurie à l'encre brune fanée. La voix de la jeune fille rebondit sur les murs quand elle lut :

« … 20 sept. 1723. De mon poste d'observation sur la colline au-delà de la plage, j'ai épié les diaboliques Chasseurs de Têtes qui s'éloignaient à la rame en direction du volcan. J'ai utilisé nos ultimes réserves de poudre dans cette attaque. Las ! Cela n'a pas suffi à sauver la tête de mon tendre ami Adams, qui a été fauché par une fléchette empoisonnée alors qu'il pêchait dans la baie. J'ai bien peur que ces sauvages reviennent traquer les survivants de notre expédition, à la prochaine lune, selon leur coutume ; ainsi, ils nous auront tous massacrés, puisque tel est leur désir. Nous sommes dans une grande détresse ; nous avons encore beaucoup de travail avant d'en avoir terminé ici. Une attaque… »

La page s'arrêtait sur ces mots.

– Des Chasseurs de Têtes ! marmonna Liberty, sans sa morgue habituelle. Nom d'une pipe ! Cela explique la coupe de cheveux quelque peu radicale de nos macchabées, là-haut.

– Une attaque surprise, évidemment ! affirma Doug. Abattus par des fléchettes empoisonnées.

– Il n'est pas question que ma caboche quitte l'endroit où elle se trouve, bien

Les Chasseurs de Têtes

Les Chasseurs de Têtes conservaient le chef de leurs ennemis en guise de trophée. Certaines tribus pensaient, par cet acte, transférer l'âme de la victime à son vainqueur.

plantée sur mes épaules, gronda la Texane en caressant son tromblon.

Becca examinait le verso de la feuille; des taches de fumée et la vieillesse le rendaient difficilement déchiffrable.

«… *hier soir. Les travaux ont progressé: aujourd'hui, John a découvert un autre filon sur la 3ᵉ île, du même type que les autres. Par ailleurs, nous continuons à creuser dans la mine de la tête de proue…*»

Les trois amis continuèrent à fouiller la grotte et ses restes poussiéreux, sans trouver cependant grand-chose de très intéressant. Rien n'indiquait non plus à qui ces maigres possessions avaient pu appartenir.

– J'ignore ce qu'ils fabriquaient ici, dit Liberty, mais ils essayaient de garder ça secret. Pourquoi ne sont-ils pas partis?

– C'étaient peut-être des naufragés comme nous, répondit Doug. Nous ferions mieux de retourner à l'*Expédient*. Il faut avertir le capitaine.

– Oui. Tout ça me flanque la frousse.

Becca enfouit le fragment de papier dans sa poche. Ces paroles d'un malheureux depuis longtemps défunt l'angoissaient. En dépit de l'écriture archaïque, les mots semblaient avoir une résonance toute fraîche – et terrifiante. Était-ce l'un des squelettes qui avait rédigé ces lignes?

Les jeunes MacKenzie n'avaient plus que dix minutes avant le dîner, pourtant ni l'un ni l'autre n'étaient prêts. Doug passa une serviette sale sur son visage. Dans la cabine voisine, sa sœur lisait le chapitre «Manœuvres» dans son *Manuel du marin*. Les bruits sourds des réparations effectuées

20:th day of Sept:r, 1723

From my Look Out on the hill
beyond the Shore, I observ'd
the Infernal Head Hunters, paddle
away towards the Volcano; I
have expend'd our last Supply
of Gun-powder in this Attack—
but it was not enough to save
the Head of my dear Friend Adams,
who was cut down by a poison'd
dart as he fish'd in the Cove.
I am feared the Hunters will
return for the Remainder of
our Party at the   next
full Moon, as is their Wont,
tho' they cou'd have Murder'd
us all, had they so wished.
Our Situation is very dismal
indeed; we must Labour hard
to fortify here. An Attack——

sur la gouverne se répercutaient à travers les cloisons et la tuyauterie. Doug poussa la porte de séparation.

– Tu as l'intention d'emprunter le dinghy, hein ?

– Je ne me vois pas traverser à la nage ! rétorqua Becca.

– Mais tu es infichue de te débrouiller, sur un voilier !

– Et toi, tu te prends pour Joshua Slocum[9] ?

– Au moins, je sais comment louvoyer et empanner. Toute seule, tu n'iras nulle part. En plus, tu seras en pleine mer.

– Je ramerai s'il le faut. J'ai besoin de ces livres de chiffrement. Et d'abord, qui t'a dit que je partais seule ?

– Qui serait assez fou pour t'accompagner ?

– Ça ne te regarde pas.

– Si.

– Alors, viens avec moi. Aide-moi, Doug.

– J'ai prêté serment. Il me faut l'autorisation du capitaine.

– Dans ce cas, dégage et fiche-moi la paix, fulmina Becca en lui claquant la porte au nez.

Doug ne se laissa pas impressionner pour autant. Retenant le battant, il se planta sur le seuil.

– Ce n'est pas Liberty, quand même ?

– Bien tenté, mais non.

– Pas un membre de l'équipage non plus. Sauf Charlie, peut-être. Je l'ai trouvé plutôt maussade, ces derniers jours.

LOUVOYER ET EMPANNER

Les voiliers ne peuvent pas remonter au vent à plus de 45°, sinon le vent cesse d'agir dans les voiles. Alors, ils louvoient (tirent des bords) ou empannent (virent vent arrière) pour avancer. Ces manœuvres permettent de changer la prise au vent du bateau et des voiles.

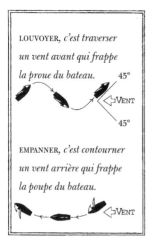

LOUVOYER, *c'est traverser un vent avant qui frappe la proue du bateau.*   45°

⊳VENT

45°

EMPANNER, *c'est contourner un vent arrière qui frappe la poupe du bateau.*

⊳VENT

9. Le marin Joshua Slocum (1844-vers 1910) fut le premier à faire le tour du monde en solitaire.

– Ce n'est pas lui.

– As-tu songé aux courants et à la marée ? Je te conseille de calculer ton coup.

Se penchant, Becca lui lança un bloc-notes.

– J'ai eu une petite conversation avec M. Ives. Et j'ai vérifié l'heure des marées. Je n'ai rien laissé au hasard, mon cher.

– Tu as parlé à Ives ?

– Non, je l'ai interrogé sur les courants. Je ne lui ai pas raconté que j'avais l'intention de cambrioler ce sous-marin, tu penses !

– Oh, non ! s'exclama Doug, frappé par une idée soudaine. Pas Xi ? Ne me dis pas que c'est lui !

Les sourcils de Becca frémirent.

– Je l'aurais parié ! s'écria son frère. Comment as-tu réussi à le convaincre ?

– Facile. Il rêve de voler un poignard de cérémonie kalaxx. D'après lui, ça prouvera qu'il est un véritable guerrier Sujing.

– Il est assez cinglé pour le faire, admit le garçon, une note de jalousie dans la voix. Quand partez-vous ?

– Le capitaine a l'intention de quitter l'île demain soir. Donc, nous n'avons plus que cette nuit. Viens avec nous, Doug, j'ai besoin de toi.

– Impossible, Becca, vraiment je ne peux pas. Écoute, je viens juste d'adhérer au Cercle. De l'intérieur, je serai capable d'en apprendre beaucoup plus sur ce qui s'y passe. Si je suis pris, on me renverra aussi sec chez tante Margaret. Ce qui nous serait très utile, il va sans dire. Et puis, nous ne sommes pas sûrs que Borelli a les manuels de codage. C'est un trop gros risque. Il faut que je commence à respecter les règles du Cercle. Ou du moins, que je commence à faire semblant. Je… *nous* devons nous servir de mon statut de membre pour en tirer des avantages, pas le gâcher.

Sur ce, Doug referma la porte, histoire d'éloigner au mieux la tentation. Pour une fois dans sa vie qu'il était décidé à agir honnêtement !

Oui. Sauf que Becca s'apprêtait à braquer un submersible.

CHAPITRE SIX

Le dîner traîna en longueur et ne s'acheva qu'à vingt et une heures trente. Rendue nerveuse par son projet, Becca picora à peine. Une heure plus tard, elle partait enfin ; dans l'obscurité, elle réussit à se glisser hors de sa cabine et à descendre la passerelle en catimini. Sans bruit, elle se laissa plonger dans l'eau de la baie, qui lui arrivait à la taille, et pataugea jusqu'au *Petit Mousse*, ancré à une vingtaine de mètres de la plage. Elle escalada le tableau arrière aussi discrètement que possible.

– Tu sais diriger cet engin ? chuchota Xi en l'aidant à monter à bord.

– Naturellement.

– L'eau, je déteste l'eau ! Nous, les Sujing…

– Ne vous battez qu'à terre, je suis au courant. Seulement, ce soir, il est exclu de batailler contre quiconque, compris ? Personne ne doit découvrir que nous sommes allés sur l'île de la Soufrière. Bon, d'abord on rame. Une fois la péninsule contournée, on hissera les voiles. Tu as déjà ramé ?

– Non. Nous, les Sujing…

– Alors, tu t'occuperas de la barre.

La jeune fille se mit aux avirons en prenant soin de mesurer ses gestes afin de limiter le clapotis. La nuit était très sombre, et Becca distinguait à peine la silhouette noire de l'*Expédient*. Lentement, le *Petit Mousse* s'éloigna. Tout à coup, il parut hoqueter, puis tourna.

– Flûte, on est pris dans un courant, maugréa Becca. À ce rythme, on n'y arrivera jamais.

– Tais-toi et rame ! lui ordonna Xi.

– Ça irait mieux si vous remontiez l'ancre, lança une voix dans les ténèbres.

– Doug ! haleta Becca en sursautant.

– Je t'avais bien dit que tu ne t'en sortirais pas. Aide-moi à grimper.

– Moi aussi, chuchota une deuxième voix.

– Xu, mon frère !

– Je n'allais quand même pas te laisser affronter le bataillon des Kalaxx tout seul !

Quelque chose de laineux atterrit à côté de Becca.

– Qu'est-ce que c'est que ça ?

– Mes chaussettes fétiches. Je tiens à les garder au sec. J'ai dû nager en les tenant entre mes dents.

– C'est dégoûtant ! Éloigne ça de moi !!! Qu'est-ce qui t'a poussé à changer d'avis, au fait ?

– Ne t'emballe pas. Livres de chiffrement ou pas, j'avais envie de jeter un coup d'œil à ce sous-marin.

– Eh bien, je suis contente de t'avoir à bord.

– Bon, tâchons de nous organiser. Je m'occupe de l'ancre. Xu et Xi, faites le guet. Becca, reste aux avirons. Je vais nous sortir du chenal.

– Qui a décidé que tu commanderais ? protesta Becca. C'est moi, le capitaine, ici.

Après quelques efforts, l'ancre s'arracha du fond, et Doug enroula soigneusement son cordage.

– Ancre levée, annonça-t-il.

Sa sœur se remit à frapper l'eau de manière régulière et, rapidement, ils perdirent de vue l'*Expédient*.

– C'est bon, annonça Doug en hissant le foc. Nous sommes tranquilles, à présent. Rentre les rames, Becca, et veille aux écoutes du foc. Moi, je me charge de la grand-voile.

– Y a-t-il assez de vent ? s'inquiéta la jeune fille.

– Une bonne brise, l'idéal. On sera rendus dans une heure.

Le garçon détacha le beaupré et la grand-voile qui étaient attachés au mât. Après avoir vérifié que le guide était correctement fixé, il tira fort pour tendre les gréements. Becca borda la grand-voile, et le *Petit Mousse* donna aussitôt de la gîte et fila sur l'eau. Doug amarra la drisse et s'installa sous le mât, l'air intensément satisfait de lui.

– Pas la peine de faire le malin ! lui lança sa sœur.

L'étrave du dinghy plongea dans les flots avec des gargouillis, tandis que les vagues frappaient sa coque à clins. Dans la main de Becca, la barre franche prit vie, elle testa la direction du vent comme Charlie le lui avait appris, tournant la tête à gauche et à droite jusqu'à ce qu'elle ait le nez droit dessus. Ensuite, elle ajusta sa course, et le voilier répondit, prenant encore plus de vitesse. Distraitement, la jeune fille se disait qu'elle aurait dû être terrifiée. Si, deux mois auparavant, on lui avait annoncé qu'elle barrerait un bateau au milieu de la nuit, elle aurait ricané. À présent, son attitude était tout autre. « Et pourquoi pas ? pensait-elle. Ce n'est pas si compliqué. » L'île de Wenzi l'avait changée, et ce fut à cet instant qu'elle en prit conscience. Un court instant, son comportement lui apparut dangereux, puis elle en sentit le pouvoir nouveau.

– Borde-moi ce foc, Doug ! ordonna-t-elle. Ensuite, nous parlerons tactique.

Le plan de Becca était simple. Xu et Xi avaient quarante-cinq minutes pour voler leur glaive, pendant qu'elle et Doug monteraient à bord du submersible pour y chercher les manuels de codage. Ils se retrouveraient au dinghy.

Le vent favorable les transporta rapidement jusqu'au cap sud de l'île, où des courants contraires agitaient la mer. Accroupi près du mât, Doug aurait bien aimé prendre les commandes. Comme si elle l'avait deviné, Becca lui laissa la barre, une fois sa stratégie exposée. Une bouffée de plaisir traversa le garçon lorsqu'il sentit la puissance du petit bateau qui glissait sur les flots noirs comme de l'encre. La trame étincelante des étoiles se balançait au-dessus des haubans. Il fixa l'étoile polaire, le grand astre du nord et, pendant quelques minutes, s'imagina sous les traits d'un capitaine commandant un vaisseau taillé pour écumer les océans. Puis ses pensées se tournèrent vers les Kalaxx, et son exaltation retomba, vite remplacée par une inquiétude discordante. Jusqu'alors, il n'avait pas beaucoup médité le projet insensé de sa sœur. Parce que, enfin, aborder un sous-marin? Étaient-ils complètement dérangés? Ce message avait intérêt à valoir le coup.

Soudain, la voix de Becca rompit le silence.

– Ces Kalaxx, vos frères du nord, comment ont-ils fini ici?

– Après les guerres Ha-Mi, le chapitre occidental a traqué ces chiens jusque dans les steppes russes, répondit Xi.

– Là, le coupa Xu, ils ont passé un accord avec le tsar Pierre[10]. Ils ont combattu au côté des armées impériales pendant cent quarante ans et ont adopté les coutumes russes. Mais après, ils ont été forcés de fuir, parce que leur chef avait insulté un prince quelconque. Alors, ils ont parti-cipé à la ruée vers l'or, en Amérique, puis se sont lancés dans l'extraction du diamant, en Afrique. Ils se sont enrichis, mais leur fortune repose sur une violence et une cruauté inouïes.

---

10. Pierre le Grand (1672-1725), empereur de la Russie à partir de 1682.

– Qu'est-il advenu du chapitre méridional? demanda la jeune fille après quelques instants de réflexion.

– La légende assure qu'ils ont disparu avant même la mort d'Alexandre le Grand, reprit Xu. Avec leur gyrolabe et leur quart des 99 *Éléments*.

– Savez-vous que le CS est à la recherche de ces derniers? Que se passera-t-il si on les retrouve?

– Les gyrolabes sont censés contrôler une machine à Ur-Can…

– Ur-Can?

Becca repensa à la fabrique de feux d'artifice de Shanghai et à la conversation entre leur oncle et Maître Aa. Elle avait surpris ces mots dans la bouche du supérieur des Sujing Quantou, mais elle ne les avait pas compris, sur le coup.

– S'agit-il d'une ville? ajouta-t-elle.

– D'un mythe, plutôt! ironisa Xi. Une cité perdue, supposée receler une énorme machine activée par les quatre gyrolabes.

– D'après les 99 *Éléments*, enchaîna son frère, les quatre appareils sont nécessaires pour qu'elle fonctionne. Comme tu le sais, nous avons donné le nôtre à ton ancêtre, Kameroon pour aider le Cercle dans ses recherches, et il est désormais à Florence. Mais nos frères du chapitre occidental ont conservé le leur, dans le temple de Khotan. Si la grande machine existe, elle ne peut marcher sans le…

– Ils sont tous fous! s'écria Xi, incapable de se contenir plus longtemps. Personne n'a jamais localisé Ur-Can. On dit qu'elle serait située dans le Xinjiang. Nous, les Sujing Quantou, avons écumé ces déserts pendant vingt siècles et, à ce jour, nous n'en avons pas vu la moindre trace.

– C'était peut-être le but de l'expédition de nos parents? chuchota Doug, le souffle court.

– Ha ! s'esclaffa Xi. Ils ne mettront jamais la main dessus.

Ils avaient maintenant atteint le promontoire sud de l'île volcanique. Depuis le poste d'observation, Doug avait repéré une anse où dissimuler le voilier. Il leur suffirait de traverser une mince bande de terre couverte de rochers et de broussailles pour rejoindre le sous-marin. Tandis que Doug dirigeait le dinghy aussi près que possible de la côte, Becca se posta à la proue, l'ancre à la main.

– Vas-y ! chuchota son frère.

Ici, les eaux n'étaient guère profondes. Les pointes se prirent dans le sable, et le *Petit Mousse* s'arrêta sur une secousse. Doug s'affairait déjà à affaler la grand-voile et le foc.

– Bon, lança Becca tout en dévidant le filin de l'ancre, retour ici dans trois quarts d'heure.

– Quel est le mot de passe ? demanda Doug.

– Oui, dis-le-nous, renchérit Xi.

– Pourquoi en aurions-nous un ? s'impatienta Becca.

– Parce que c'est une mission secrète, plaida son frère. Un mot de passe est indispensable.

– D'accord, trouves-en un, mais dépêche-toi.

– Euh… chaussettes fétiches ! murmura Doug, hilare.

– Super. Et maintenant, au boulot.

Doug cacha sa boussole de poche en argent à l'avant du voilier. De toute façon, elle n'était plus fiable depuis qu'ils avaient atteint l'archipel. Un à un, les enfants se glissèrent par-dessus le tableau arrière, plongeant dans l'eau jusqu'au cou, et avancèrent jusqu'à la petite plage.

CHAPITRE SEPT

Lorsqu'ils atteignirent le sommet du promontoire qu'ils traversaient, le territoire des Kalaxx se déroula sous leurs yeux, violemment éclairé par des projecteurs qui illuminaient aussi bon nombre de vaisseaux ancrés dans la rade. Le submersible se trouvait à quelque trois cents mètres de là, amarré à une jetée en bois qui avançait dans l'eau. Deux gardes le surveillaient.

Le sous-marin. Cahier à dessins de Doug. (CDM 3/62)

   – Quarante-cinq minutes, répéta Becca aux jumeaux. Tenez-vous à l'écart du sous-marin.

   – *Sujing Cha* ! murmurèrent Xu et Xi en s'enfonçant dans l'obscurité.

   – Tu entends ce bruit ? demanda Doug. Ce bourdonnement sourd ? On en sent presque les vibrations.

– Sûrement l'activité minière. Descendons sur la berge.

Ils empruntèrent un sentier qui les conduisit sur le rivage, en prenant soin de se mettre à couvert des rochers qu'ils croisaient. La nuit était si étouffante que Doug suait, en dépit de ses vêtements mouillés. Leur objectif était maintenant à moins de cinquante mètres. Ses formes sinistres évoquaient un requin mécanique malveillant, qui aurait fait surface pour s'offrir une proie facile sur la côte. Il était énorme, en comparaison du *Galatie*.

– Inutile d'attirer l'attention en martelant ce tas de ferraille avec nos chaussures, décréta Becca. Nous n'avons qu'à les cacher ici. Rappelle-toi : elles seront près de cette pierre plate.

– Je garde mes chaussettes.

– Tu risques de les perdre dans l'eau, espèce d'idiot !

– Tu as raison. C'est hors de question.

Pieds nus, ils entrèrent dans la mer et nagèrent en direction de la poupe. La marée montait, et ils durent lutter contre le courant qui ralentissait leur progression. Becca atteignit leur but la première. S'accrochant aux flancs et profitant de l'abri qu'offrait leur ombre, elle reprit son souffle.

– Va vers l'avant, lui conseilla Doug. On grimpera le long des réservoirs de flottabilité.

Ils repartirent, et Doug sentit la coque en acier s'évaser sous ses pieds. Ils progressèrent en s'agrippant au cuvelage du sous-marin, jusqu'à ce qu'ils trouvent un endroit d'où se hisser facilement sur le pont.

– Il n'y a personne ! haleta Doug, avec une peur au ventre qui le faisait frissonner.

Becca s'extirpa de l'eau.

– Direction l'écoutille arrière, lança-t-elle. C'est ouvert !

Les sentinelles postées à quai ne virent pas les jeunes MacKenzie galoper aussi discrètement que possible. Sans hésiter, Becca dégringola la mince échelle installée à l'intérieur du sas d'étanchéité. Doug attendit qu'elle fût en bas, son regard allant des gardes à sa sœur. Une forte odeur de diesel, de transpiration et d'humidité émanait du vaisseau. Becca inspecta brièvement les alentours – rien à signaler. D'un signe, elle indiqua à son frère de la rejoindre.

Ils étaient dans l'espace confiné de la salle des machines, chichement éclairée par des ampoules nues. L'endroit, oppressant, était bourré de tuyaux et d'appareils qui ne laissaient que d'étroits passages où se faufiler. Le submersible était on ne peut plus différent de l'*Expédient* : surchargé, étroit, empuanti, loin des cuivres et des acajous du bateau de recherches. Ici, nul raffinement et pas le moindre confort.

Doug observa le tout avec admiration, épaté que quelqu'un ait su construire pareil engin.

– Mortel ! Super mortel !

– Où se trouve le bureau de la T.S.F., à ton avis ?

– À l'avant, je suppose.

Ils n'avaient aucune assurance que l'embarcation fût vide. Le temps passé dans l'après-midi au poste d'observation leur avait donné le sentiment qu'il n'y avait personne à bord, mais rien n'était moins sûr. Seuls bourdonnaient les ventilateurs qui brassaient l'air fétide.

Une porte étanche conduisait au corps principal du sous-marin, également éclairé par des ampoules crasseuses. Le réseau de plomberie et de valves était dense ici aussi. Ils atteignirent un premier compartiment qui renfermait la cuisine. Des casseroles sales s'empilaient dans une cuvette d'eau graisseuse. La pièce suivante abritait des couchettes en désordre.

– Mme Ives piquerait une crise, si elle voyait ça, mar- monna Doug.

Becca ne releva pas, concentrée sur sa tâche. Un autre sas les mena au cœur du navire – la salle de contrôle.

– On se rapproche, dit Doug.

La pièce s'organisait autour du périscope. À bâbord, la table des cartes ; à tribord, les cadrans d'orientation et le poste du timonier. Doug aurait pu rester là toute la nuit. Sa sœur l'attrapa par la manche et l'entraîna en direction du compartiment suivant, où une tenture de velours tachée dissimulait ce qu'elle estima être le carré du capitaine.

Doug repéra enfin ce qu'ils cherchaient.

– Ça y est, Becca ! Voilà le poste de l'opérateur radio.

La cabine, minuscule, était bardée d'équipements. Doug se glissa sur le siège et inspecta les divers tiroirs du bureau.

La salle de contrôle

DW. 1920

Cahier à dessins de Doug. (CDM 3/64)

– Peux-tu les crocheter ?

– Tu me connais, sœurette.

Tirant deux épingles à cheveux de la poche de son pantalon, il se mit au travail.

– Et d'un ! sourit-il quelques secondes plus tard. Je n'ai pas perdu la main.

– Ce sont des doubles de messages, annonça Becca après y avoir jeté un coup d'œil.

Elle aurait bien aimé les lire, sauf que ce n'était pas le moment. Son frère débloqua les deuxième et troisième tiroirs en quelques instants, révélant des tas de papiers, mais pas de livres de chiffrement.

– Rien ! soupira-t-il. Flûte !

– Il n'y a pas de coffre-fort ?

– Quoi ? Ici ? Il y a à peine la place pour une chaise !

– Alors, il faut regarder ailleurs.

– Écoute, ma vieille, ils n'ont peut-être pas de manuels de codage…

Elle était déjà partie. Doug remit les choses en place. Il prit la peine de vérifier que les éventuels livres n'étaient pas disséminés au milieu des transmetteurs, en vain. Sa sœur l'appela doucement, impatiente.

– Que penses-tu de ça ?

Elle lui montrait un petit compartiment. Il était désert, mais il était clair qu'on avait veillé de près à sa construction. La lourde porte en était entrebâillée, un cadenas ouvert pendait à un loquet. Tout un entremêlement de fils soutenait un caisson d'acier mesurant trente centimètres carrés, au centre même du réduit. Le système de suspension à cardans était fixé au mur blanc par de petits ressorts destinés à amortir les chocs. Doug ouvrit le casier – il était vide.

Le sous-marin M5

Les monstrueux submersibles diesel de type M furent développés par la Marine royale britannique pendant la Première Guerre mondiale. Leur caractéristique la plus frappante était un canon de 12 qui avait une portée de presque trente kilomètres. Le M5 fut lancé en octobre 1919, trop tard pour la Grande Guerre. Il n'était équipé que d'un canon de pont de 3. Lors de sa mise au rebut, il fut cédé à un particulier, lequel s'empressa de le revendre au noir à Borelli.

Tous les sous-marins de type M connurent un destin tragique. Le M1 coula après une collision en 1925, il n'y eut aucun rescapé; le canon du M2 fut remplacé par un hangar pour avions en 1927, il sombra en 1932 avec tout son équipage; le M3 fut converti en mouilleur de mines en 1927, puis vendu à la ferraille en 1932; le M4 fut bien inauguré, mais jamais achevé.

Longueur :	92 mètres
Travers :	7,5 mètres
Tirant d'eau :	4,8 mètres à l'avant; 5,4 mètres à l'arrière
Déplacement :	1,691 tonne en surface
	1,855 tonne en plongée quand chargé à plein
Machines de surface :	2 moteurs diesel de 12 cylindres et 1 200 CV chacun
Machines de plongée :	4 moteurs électriques de 400 CV chacun
Vitesse de surface :	14 nœuds
Vitesse de plongée :	9 nœuds
Réservoir :	105 tonnes d'essence
Autonomie :	9 655 km à la vitesse de 11 nœuds
Autonomie en plongée :	138 km à la vitesse de 2,5 nœuds
Armement :	Canon de pont de 3 ; 4 tubes lance-torpilles
Temps d'immersion :	1,23 minute jusqu'à 5 mètres
	2,56 minutes jusqu'à 9 mètres

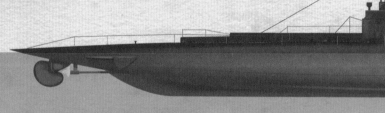

Ailerons de nage arrière   Écoutille arrière   Kiosque

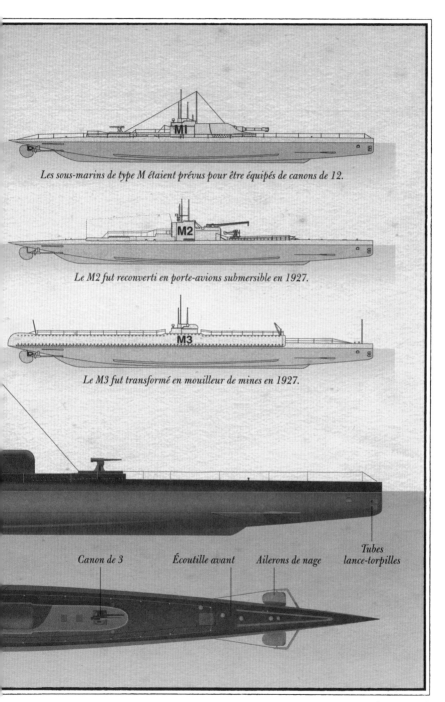

Les sous-marins de type M étaient prévus pour être équipés de canons de 12.

Le M2 fut reconverti en porte-avions submersible en 1927.

Le M3 fut transformé en mouilleur de mines en 1927.

Canon de 3   Écoutille avant   Ailerons de nage   Tubes lance-torpilles

– Un objet fragile, murmura-t-il en poussant le caisson qui oscilla de gauche à droite. Quelque chose qui ne devait pas tomber. Qu'il fallait manier avec délicatesse...

– Du zoridium ! conclurent-ils à l'unisson.

– Borelli a donc transporté de cet explosif jusqu'à l'île ! s'exclama Doug.

– Voyons un peu ce qu'il a apporté d'autre, décréta Becca.

Soudain, elle se figea.

– Tu n'as pas entendu des bruits de pas ? souffla-t-elle, à peine audible.

Doug tendit l'oreille, ne perçut rien de particulier. Il regarda des deux côtés de la coursive, ne vit personne. Il haussa les épaules. Sa sœur patienta encore quelques secondes, puis se remit au travail, plus lentement et plus furtivement néanmoins. Elle était sûre d'avoir distingué quelque chose. Sur la pointe des pieds, ils filèrent le plus vite possible vers la dernière pièce étanche. Déserte elle aussi, elle abritait le magasin des torpilles et les quartiers de l'équipage. Une échelle conduisait à une écoutille béante, et Becca se sentit aussitôt rassurée. Au moins, ils pourraient s'enfuir.

Un compartiment de quatre mètres sur trois avait été aménagé le long de la cloison, protégé par un panneau grillagé. Il était plein à craquer de caisses, de vieux livres, de parchemins et de documents jetés les uns sur les autres. Un assortiment d'appareils scientifiques et d'objets anciens gisait çà et là, donnant à l'ensemble des allures de pêche miraculeuse excentrique. De l'eau de sentine avait trempé la strate inférieure de ce méli-mélo et, ici, une lourde odeur d'humidité et de pourri voilait la puanteur générale du sous-marin.

Becca déchiffra le titre d'un des dossiers appuyés contre la grille.

Rapport sur la récente expédition en Asie Mineure… Cercle du Savoir… 1810.

– D'où vient tout ce bazar ?

– Aucune idée, répondit Doug qui se débattait avec le cadenas fermant le compartiment. Florence, peut-être ?

Tout à coup, une voix retentit au-dessus d'eux, sur le pont, puis la pointe d'une élégante chaussure en cuir apparut au sommet de l'échelle. C'était déjà inquiétant. Mais ce qui remplit les jeunes MacKenzie d'effroi, ce fut de reconnaître les inflexions tranchantes de celui qui parlait.

– … n'importe quoi, Borelli ! On vous donnera le prix Nobel, et vous serez fêté à New York, Londres et Paris. Ne vous inquiétez pas pour les Kalaxx, mon vieux !

Il s'agissait de quelqu'un que Doug et Becca ne redoutaient que trop. Julius Pembleton-Crozier.

La cachette dénichée à la dernière minute par Doug était loin d'être idéale. Il était allongé dans un étroit espace entre la coque et l'une des torpilles mortelles de Sheng-Fat. Le motif de la dent de dragon peint sur le flanc de l'arme paraissait le narguer. Son nez se trouvait à quelques centimètres à peine de la tête de charge au zoridium, un explosif puissant qui était à même de couler le sous-marin et quelques autres aussi en un clin d'œil. Becca s'était réfugiée dans un endroit identique, de l'autre côté du compartiment.

Cependant, le souci le plus immédiat des deux cambrioleurs en herbe était que les hommes fumaient le cigare. Apparemment, ils sortaient d'un repas plantureux. Les joues empourprées par les excès de table ? Borelli était doté d'une moustache effectivement impressionnante, comme l'évoquait la lettre.

– Que voulez-vous faire de ce fatras inutile ? demanda-t-il en lançant la clé du cadenas à Crozier.

– Vous auriez pu les stocker un peu mieux, s'irrita l'Anglais. C'est mouillé, tout va pourrir, idiot !

– Essayez donc de naviguer à travers un typhon à bord d'un navire qui ne vaut rien, manœuvré par un équipage de simples d'esprit.

Pembleton-Crozier ouvrit la porte grillagée et entra dans le compartiment, écrasant au passage des dossiers.

– Il est là, au moins ?

– Oui, vers le fond, je crois. Tenez… là-bas. Ce cigare est divin, Julius. J'ai laissé mes havanes à Florence. L'humidité du submersible les aurait abîmés.

L'Anglais entreprit de fouiller les monceaux de papier.

– Votre obsession d'Ur-Can serait risible si elle n'était pas aussi inutile, reprit l'Italien, ironique, en s'essuyant les doigts avec une pochette de soie. C'est une cause perdue. Le futur repose désormais sur la science moderne et le zoridium, pas sur des cités perdues chinoises, oubliées depuis des siècles. Il est temps de passer à autre chose. Le projet réalisé ici est un début. Un premier pas fantastique. D'ici l'an prochain, la Coterie aura le monde à ses pieds.

Pembleton-Crozier s'interrompit et se retourna.

– Grâce à vous, répondit-il en souriant, toute trace de colère envolée. Vous êtes un fichu génie, Borelli.

– Oui, je sais, ronronna l'autre, tel un gros chat ravi. J'arrive à m'épater moi-même devant ce que j'ai accompli ici. Nous n'avons plus qu'un souci, à présent. Les Kalaxx.

– Je me charge d'eux, détendez-vous. Ils ont rempli leur

tâche. Pas question qu'ils mettent leur museau dans notre abreuvoir.

– Ils risquent de ne pas apprécier. Pas du tout, même.

– Ils ne seront jamais au courant. Pas si c'est moi qui m'en occupe. Ah ! Le voici !

Doug aperçut l'Anglais qui se débattait avec un gros objet sphérique posé sur une étagère et enseveli sous d'épais volumes reliés en cuir. Il s'agissait d'un globe céleste bleu, dont la surface s'ornait de constellations. Le garçon eut l'impression qu'il en avait déjà vu un semblable quelque part. Crozier pivota sur lui-même, le visage réjoui, avant de déclencher un loquet. Les deux hémisphères se séparèrent. À l'intérieur se trouvait un gyrolabe, de taille et de forme

Pembleton-Crozier tient le gyrolabe de l'est. Cahier à dessins de Doug. (CDM 3/68)

identiques à celui que le capitaine détenait à bord de l'*Expédient*. L'Anglais s'en empara comme d'une relique, les yeux écarquillés par l'excitation.

– Alors, heureux, Julius ?

– Le mot est faible. C'est merveilleux. Je ne l'avais pas revu depuis quinze ans. Le gyrolabe de l'est !

– Ne le montrez pas à Maître Kouïbychev, ses Kalaxx vous mettraient en pièces pour s'en emparer.

– Avez-vous également réussi à mettre la main sur celui du nord ? s'enquit Crozier en continuant d'admirer l'objet magnifiquement ouvragé.

ALFONSO BORELLI

Membre du Directoire et directeur scientifique du CS, Borelli estimait que la structure moyen-âgeuse du Cercle gênait considérablement ses ambitions, alors que les recherches et les articles de l'organisation, ceux consacrés notamment aux 99 Éléments, jouèrent un grand rôle dans la réussite de l'homme.

– Pensez-vous ! Fitzroy le conserve sur son bateau. Il est parvenu à convaincre le Directoire qu'il en avait besoin pour son expédition dans l'Antarctique. C'est celui que convoitent vraiment les Kalaxx. Il était à eux, après tout.

Pembleton-Crozier regarda autour de lui, jusqu'à ce qu'il repère un vieux sac en toile. Le vidant de ses cartes et documents poussiéreux, il y plaça soigneusement le gyrolabe.

– Et maintenant, cher ami, un dernier verre dans ma villa ? Lucretia a déniché une bouteille de brandy que je croyais égarée depuis des lustres.

– Voilà une excellente suggestion que je ne saurais décliner.

Becca et Doug s'extirpèrent de leurs cachettes et échangèrent un regard à la fois choqué et intrigué.

– Tu l'as vu ? dit Doug.

– Le gyrolabe ? Oui, juste à l'instant. Le Cercle doit être en train de se déliter. Tous ces machins rapportés de Florence ! Borelli a sûrement trahi les siens. Nous n'avons pas beaucoup de temps. Il faut absolument mettre la main sur les livres de chiffrement. Où peuvent-ils bien être ?

Doug médita la question de sa sœur, envisageant les possibilités qui s'offraient.

– Où planquerais-je quelque chose d'important ? marmonna-t-il. Dans la cabine du capitaine ? suggéra-t-il soudain.

Ils retournèrent précipitamment sur leurs pas, jusqu'au rideau en velours. Derrière, il y avait un petit bureau doté d'un unique tiroir. Doug s'assit sur la couchette et ressortit ses fidèles épingles à cheveux.

– Dépêche ! siffla Becca.

– Je fais de mon mieux. Ce n'est pas si simple.

La serrure cliqueta, et le garçon ouvrit le tiroir en grand, révélant un revolver, une boîte de cigares et quelques stylos.

– Flûte ! maugréa sa sœur.

– Un instant ! Borelli a stipulé qu'il était impossible d'embarquer des cigares sur un sous-marin, non ?

Doug souleva le couvercle de la boîte. Dedans, soigneusement alignés, apparurent les manuels de codage édités par le Cercle.

– Je t'avais bien dit qu'on finirait par les trouver ! s'écria Becca, radieuse.

S'en emparant, elle les enveloppa dans un sachet étanche. Doug referma le tiroir, puis ils filèrent vers la poupe du submersible. Dans la salle des machines, le garçon stoppa net.

– Attends ! J'ai une idée.

– Ce n'est pas le moment !

– Passe devant, je te rejoins. Je n'en ai que pour deux minutes.

Tournant les talons, il repartit en direction de la salle de contrôle, cherchant le boîtier qui correspondait au commandement des lance-torpilles.

– Presse-toi ! l'appela sa sœur. Allez, viens !

Mais il avait trouvé ce qu'il voulait.

– Qu'est-ce que tu fiches ? pesta Becca en consultant sa montre.

– Je prends quelques précautions, c'est tout.

Il œuvra rapidement, déconnectant les fils du tableau de bord.

– Lorsque l'*Expédient* filera pour nous ramener chez nous, autant nous assurer qu'il n'est pas pourchassé par une des torpilles de Sheng-Fat.

Il termina sa tâche en reconnectant les fils, puis adressa un clin d'œil à son aînée.

Doug était soulagé d'avoir remis ses chaussettes porte-bonheur. Leur échappée s'était déroulée sans anicroche, les sentinelles se tenant toujours à l'autre bout de la jetée. Il leur restait plein de temps avant l'heure du rendez-vous. Becca ouvrait la marche et, à la lueur des astres, le garçon aperçut le voilier à l'ancre.

– Chaussettes fétiches ! souffla une voix.

Dans l'obscurité, impossible de déterminer s'il s'agissait de Xu ou de Xi.

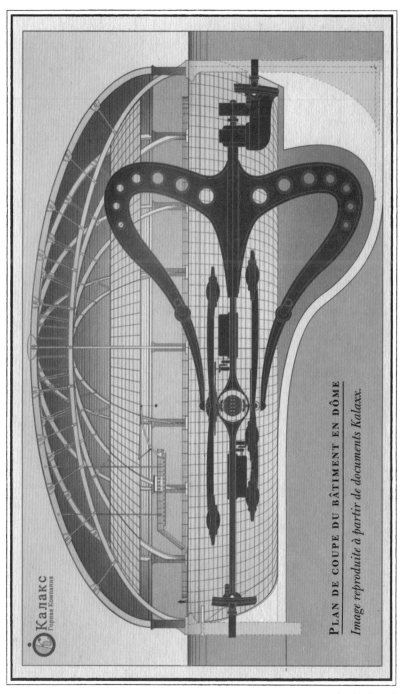

PLAN DE COUPE DU BÂTIMENT EN DÔME

Image reproduite à partir de documents Kalaxx.

– Vous avez les livres ?

– Bien sûr, riposta Becca, hautaine.

– Quand nous avons vu P-C, nous avons cru que vous étiez cuits.

– Nous ? Les MacKenzie ne se font jamais coincer !

– Nous sommes tombés sur quelque chose, intervint Xu d'un ton grave. Il vaudrait mieux que vous y jetiez un coup d'œil. C'est... impossible à expliquer. Nous ignorons de quoi il s'agit. Venez !

Becca et Doug suivirent les jumeaux le long d'un sentier accidenté, et ne tardèrent pas à se retrouver sous le promontoire, qui les dominait sur leur droite maintenant. Le chemin restait plat et épousait les courbes des falaises. Au bout de dix minutes, ils parvinrent à l'autre bout de l'anse où mouillait le *Petit Mousse* et tombèrent sur une partie de l'île qu'ils n'avaient pu observer depuis le poste de surveillance, car elle était cachée par des collines. D'ailleurs, Doug ne l'avait pas reportée sur sa carte.

Le bourdonnement sourd que le cadet des MacKenzie avait entendu à leur arrivée était beaucoup plus puissant ici, et l'air bruissait d'une forte activité électrique. Xu et Xi se jetèrent à plat ventre et se mirent à ramper en direction de la crête, suivis par leurs amis. De là-haut, ils découvrirent un bâtiment circulaire surmonté d'un dôme, d'un diamètre avoisinant les quatre cents mètres sans doute, enfoncé dans le sol. Une lumière bleue s'échappait par des orifices aménagés dans les parois extérieures en bois.

– Ne vous éloignez pas, recommanda Xu.

Ils crapahutèrent au bas de la pente, jusqu'à se rapprocher de l'étrange structure. Dedans, une espèce de soufflerie résonnait sans discontinuer, à intervalles réguliers. Xu les

entraîna vers un œil-de-bœuf qui offrait un point de vue
imprenable sur l'intérieur.

Doug s'attendait presque à avoir droit au vaisseau
antique que Sheng-Fat avait mentionné juste avant de
mourir. Un tout autre spectacle cependant se révéla à eux :
une immense machine circulaire bâtie dans un trou d'une
vingtaine de mètres. Deux espèces d'énormes hélices à trois
pales installées horizontalement tournaient en sens inverse
l'une de l'autre autour d'un axe central.

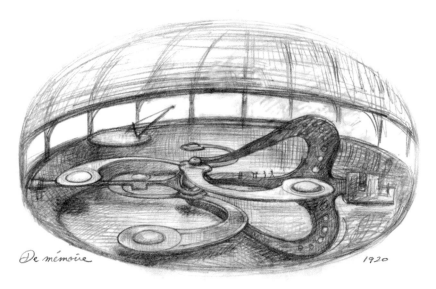

De mémoire   *1920*

La grande machine. Cahier à dessins de Doug. (CDM 3/72)

– Le truc au milieu, murmura Doug, hésitant, il ressemble à…

– À quoi ? demanda Becca en écartant les autres pour
mieux voir.

– À un gigantesque gyrolabe.

– Sauf que nous ne bougeons pas, objecta sa sœur. Cet engin ne dégage aucune force d'attraction. Il ne crée pas de champ gravitationnel.

Il émanait de cette étrange mécanique une sensation de puissance et d'énergie monstrueuse, au point que Doug se prit à en craindre la proximité. Le grésillement basse fréquence qui secouait ses os et la lumière iridescente qui, telle une brume, s'échappait du bout des pales lui donnaient envie de mettre une bonne distance entre lui et la machine. Il contempla de nouveau la sphère métallique qui séparait les écrous supérieur et inférieur de l'axe central. C'était sans doute elle qui émettait ce bourdonnement intolérable. Elle aussi, le cœur du dispositif.

L'échelle de l'engin était phénoménale. Deux bras en acier colossaux jaillissaient de l'obscurité dans laquelle était plongé le mur. Le sol avait été creusé plus profondément pour accueillir cette partie de la machine ; ses deux extrémités s'étendaient en direction des pôles supérieur et inférieur de l'appareil, sans pour autant les toucher, et entre lesquels dansaient des éclairs bleus aveuglants.

– Qu'est-ce que c'est, Doug ? s'inquiéta Xi, pour une fois décontenancé.

– Je n'en sais rien, même si je pense qu'il s'agit là de la source d'énergie qui ravitaille les tunneliers.

– Retournons au voilier, les pressa Xu. Inutile de prendre des risques.

– Tu as raison, approuva Becca. Dépêchons-nous. Viens, Doug !

Son frère jeta un ultime coup d'œil à l'infernale invention, puis rattrapa ses compagnons qui repartaient déjà à l'assaut du sentier. Il avait le sentiment désagréable que la machine était à la base de la nouvelle ère scientifique mentionnée par Borelli. Il regagna le bateau dans une sorte de stupeur et se retrouva à bord sans même se rappeler avoir nagé.

– Quelle aventure! s'exclama Becca, une fois en mer. Désolée que vous n'ayez pas réussi à obtenir ce que vous convoitiez.

– Qui dit que nous avons échoué? riposta Xi en brandissant un poignard kalaxx.

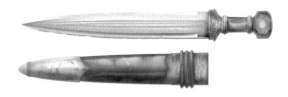

Poignard de cérémonie kalaxx

La lame et la poignée dorée de l'arme ancienne luirent sous l'éclat des projecteurs de la mine.

– Ces sentinelles assoupies ne nous ont même pas aperçus! ajouta-t-il.

– Je vous avais pourtant prévenus de ne pas…

– *Sujing Quantou!* entonna Xu sans laisser le temps à Becca d'exprimer sa colère.

– *Sujing Cha!* répondirent les MacKenzie en chœur.

Chapitre Huit

Coincés ! À notre retour, notre oncle et Maître Aa nous atten-daient. Tous deux sont furieux. Nous sommes convoqués dans le bureau du capitaine à huit heures ce matin. Jusque-là, nous sommes priés de nous reposer et de méditer nos actes. Au moins – et l'oncle MacKenzie peut vitupérer tout ce qu'il veut – il leur est impossible de nous renvoyer immédiatement chez tante Margaret.

Malheureusement, je ne trouve pas le sommeil. Mon esprit tourbillonne, j'ai besoin de m'éclaircir les idées. Je sais à quoi servent les gyrolabes, nous sommes sûrs à présent de l'endroit où trois d'entre eux sont :

GYROLABE DU NORD : *dans la cabine du capitaine.*

GYROLABE DE L'EST : *volé par Borelli à Florence, désormais entre les mains de Pembleton-Crozier.*

GYROLABE DE L'OUEST : *sous la protection du chapitre occidental des Sujing Quantou, à Khotan.*

GYROLABE DU SUD : *disparu.*

BUTS POSSIBLES DE L'EXPÉDITION DE PÈRE ET MÈRE :

1. Localiser Ur-Can.

2. Localiser le gyrolabe du sud.

RAISONS AYANT POUSSÉ P-C À DÉTRUIRE CES ÎLES ? *La recherche du gyrolabe du sud et de l'antique vaisseau ? Quelque chose d'autre ?*

Cet endroit est doté de bien trop d'équipements pour de simples fouilles archéologiques. La machine d'Ur-Can doit être la clé de la disparition des parents. Oui. C'est forcément elle.

Il est temps d'aller affronter l'ire du capitaine. J'ai fait jurer à Doug de ne rien dire du sous-marin, ni que nous avons vu le gyrolabe de l'est.

– Vous êtes donc totalement incapables d'obéir à un ordre ? L'insubordination est une maladie. À mon grand embarras, vous semblez en avoir contaminé ces jeunes Sujing…

– Xi a insisté pour venir, coupa Doug.

– Silence, Douglas ! Nous ne sommes pas en démocratie, ici. C'est mon bateau, et j'en suis le capitaine. Vous ferez ce que je vous commande de faire, et cela n'inclut pas de se lancer dans des missions écervelées en territoire ennemi. Et si vous aviez été attrapés ?

– Ça n'a pas été le cas.

– L'argument ne tient pas. Vous mettez tout le monde en danger. Vous n'avez aucun égard pour vos camarades. Qu'avez-vous à dire pour votre défense ?

Le visage de l'oncle MacKenzie était rouge de colère, et les veines sur ses tempes étaient gonflées, là où le cordon de son cache-œil passait. Becca avait décidé de ne rien cacher de leurs découvertes au capitaine, sauf ce qui concernait leur incursion à bord du submersible, histoire d'éviter les questions embarrassantes sur les raisons premières de leur expédition.

– Nous détenons des informations vitales pour le Cercle

et les Sujing Quantou, commença-t-elle. Doug souhaitait regarder le sous-marin d'un peu plus près, mais il était trop bien gardé. Sur l'île, nous sommes tombés sur une machine gigantesque, circulaire, avec des parties qui tournent comme... des roues de vélo.

– Par les portes de l'enfer ! Tu en es sûre ?

– Elle est énorme, renchérit Doug. Trois cents mètres de long au moins. Une espèce de vapeur chargée d'électricité en sortait...

– Cela change tout, Maître Aa. Vous êtes certains qu'on ne vous a pas vus, vous autres ?

– Absolument certains. Nous avons effacé nos traces de pas, sur la plage.

Le capitaine hocha la tête avant de s'emparer d'un livre relié de cuir sur sa table et de le feuilleter.

– Cette machine ressemblait-elle à ça ? demanda-t-il en leur montrant une page.

Le schéma était compliqué, mais les éléments les plus notables, comme la sphère centrale et les hélices, étaient détaillés, de profil et de face.

– Oui, répondit Doug. Sauf que, montée sur des bras en acier, il y avait une pièce supplémentaire en arc de cercle au-dessus et au-dessous de ça, ajouta-t-il en désignant du doigt le cœur de l'ouvrage.

– Saurais-tu la dessiner ? suggéra son oncle en lui tendant un crayon.

Becca leva les yeux sur le sommet de la page. Y étaient imprimés les mots : LA COTERIE DE SAINT-PÉTERSBOURG.

– Nous avons surpris Borelli et Pembleton-Crozier en pleine conversation, précisa-t-elle. Ils plastronnaient en affirmant que la Coterie aurait le monde à ses pieds.

– La Coterie! s'exclama l'oncle MacKenzie, interloqué. La Coterie de Saint-Pétersbourg? Ne me dis pas que Crozier a reformé la Coterie et son générateur diabolique!

– Ainsi, la machine est un générateur, musa Doug. Ah! j'avais raison.

– La Coterie aurait inventé cet engin? s'étonna Becca. Qui sont ces gens?

Le capitaine poussa un gros soupir avant de se lancer dans des explications.

– La Coterie a été fondée par mon père, votre grand-père, il y a quarante ans. À partir d'une faction du Cercle, des membres du Directoire mécontents. À l'origine, le but était d'exploiter de façon concrète les théories exposées dans les 99 *Éléments*, et non plus de les étudier tout en les protégeant. Ces personnes souhaitaient inaugurer une nouvelle ère scientifique basée sur une compréhension partielle de ces enseignements en mettant en pratique ce que nous pensions savoir. C'est ainsi qu'ils ont élaboré une machine similaire à celle que vous venez de décrire. Son principe reposait sur un agrandissement grossier du gyrolabe. Avez-vous remarqué si la sphère centrale et les noyaux polaires étaient identiques à ceux du gyrolabe que je vous ai montré?

– Oui, acquiesça Doug. Mais il y avait aussi des sortes d'énormes hélices à trois pales.

– Qui tournaient dans le sens inverse l'une de l'autre?

Le garçon opina du menton.

– Elles s'inspirent des roues dont est doté le gyrolabe, si vous vous rappelez. Elles tournent autour de l'équateur. Les pales sont des modifications ajoutées à l'original. Le concept de la première invention de la Coterie était de faire fonctionner de simples générateurs à partir de l'axe central pour créer de l'énergie électrique. Malheureusement, l'engin a eu des ratés. Il a explosé, tuant au passage mon père et la plupart des fondateurs de la Coterie. Leurs plans leur ont hélas survécu, et Borelli a décidé de retenter l'expérience, apparemment. La mécanique que vous avez trouvée est évidemment une descendante du générateur construit il y a trente ans.

– Cette nuit, elle paraissait marcher comme sur des roulettes, précisa Becca. Elle ne montrait aucun signe de vouloir sauter.

– N'empêche, c'est là une dérive dangereuse. Le gyrolabe n'est pas prévu pour devenir un générateur d'énergie. C'est un démarreur, un outil censé activer la légendaire machine d'Ur-Can. Ces hommes sont des apprentis sorciers. Ils expérimentent au hasard, ils copient, ils interprètent à leur façon.

Ayant fini son croquis, Doug le tendit à son oncle avec le livre. Le capitaine y jeta un coup d'œil.

– Ah, je saisis mieux, maintenant. Toutes sortes de choses commencent à prendre sens. Il y a quelques années, Charlie a retraduit un passage des *99 Éléments*, sur lequel s'appuyaient les générateurs mal conçus de mon père. Peu après, son travail a disparu. J'en déduis qu'il a été volé, car la modification que tu viens de dessiner s'en inspire.

L'homme s'interrompit, puis se mit à arpenter le bureau.

– Ces améliorations expliquent pourquoi l'appareil de Borelli est opérationnel alors que le prototype de la Coterie a implosé. J'aurais dû me douter que Pembleton-Crozier serait assez fou pour vouloir réessayer de fabriquer ce générateur infernal. Sauf qu'il lui manque les connaissances scientifiques. À présent, j'ai la certitude que Borelli est impliqué, et tout devient clair.

– En tout cas, nous savons aussi où ils puisent l'électricité nécessaire à leurs foreuses, ajouta Doug.

– Le générateur est-il alimenté comme le gyrolabe? demanda Becca. Au zoridium?

– Bien sûr. Mais où Borelli se procure-t-il le zoridium dont il a besoin?

– Nous avons vu... euh... nous pensons qu'il l'a transporté dans un caisson spécial, balbutia Doug en lançant un regard à sa sœur.

Soudain, Xi s'approcha et s'adressa à Maître Aa.

– Les Kalaxx raffinent la Fille du Soleil, annonça-t-il. Leur bâtiment en forme d'étoile ressemble à votre description de celui qui se trouve à Khotan.

– Comment? rugit son supérieur. Maudits Kalaxx! Quels traîtres! N'y a-t-il donc pas une part de notre héritage qu'ils ne vendront pas au plus offrant? Tu es sûr de ce que tu avances?

– Nous avons vu à l'intérieur, assura Xi.

– Nous en sommes sûrs et certains, renchérit Xu.

– Voilà qui est des plus inquiétant, s'alarma Maître Aa, dont les jointures blanchirent sur les bras de son

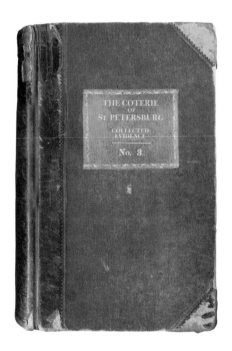

Publication du CS datant de 1897.
Sur l'étiquette, on peut lire :
« La Coterie de Saint-Pétersbourg,
Recueil de preuves n° 3 ».
(AM 46-15 CS)

Vue extérieure du bâtiment abritant le générateur expérimental de la Coterie de Saint-Pétersbourg, construit au Kazakhstan (illustration tirée du livre présenté ci-contre).

(AM 46-1528 CS)

fauteuil. Nous devons agir, capitaine, et interrompre la production de Fille du Soleil raffinée, quel qu'en soit le prix.

– Cela vous mettrait en conflit ouvert avec les Kalaxx. Or vous avez affirmé ne pas désirer les affronter.

– Je vous rappelle notre pacte. Nous sommes venus ici dans l'espoir de tomber sur Crozier cherchant un bateau enfoui et de l'arrêter, rien de plus. Au lieu de quoi, nous découvrons que les Kalaxx détruisent l'archipel en extrayant la Fille du Soleil et construisent des machines basées sur la technologie tembla. Je m'adapte juste à la réalité. Une réalité dont nous sommes contraints d'appréhender toutes les implications, aussi terribles soient-elles.

– Les mines des Temblas ?

– Oui, capitaine. Visiblement, Pembleton-Crozier et les Kalaxx les ont enfin localisées. Ce n'est pas après un navire qu'ils en ont, avec ces tunneliers. Ils exploitent des gisements de Fille du Soleil brute. Ces éléments nouveaux sont autrement plus importants que la vie de mes Sujing Quantou. Il me faudrait des mois pour rassembler mes frères de Khotan en une alliance susceptible de vaincre les Kalaxx. Il sera alors trop tard. Nous sommes contraints d'agir tout de suite.

LES TEMBLAS

Créateurs des gyrolabes, auteurs des 99 Éléments et premiers raffineurs de la Fille du Soleil. Les secrets de cette civilisation antique étaient au cœur même de tout ce que le CS et les Sujing Quantou s'efforcèrent de protéger.

– Je partage votre résolution, Maître Aa. Moi aussi, j'ai fait le vœu solennel de combattre toute application pratique des *99 Éléments*. Malheureusement, ils nous dépassent en nombre, et mon bateau n'est pas en état de naviguer.

– Si ces enfants ont réussi à infiltrer l'île, nous devrions y parvenir nous aussi. Deux bombes astucieusement placées, l'une à la raffinerie, l'autre au générateur, porteront un coup d'arrêt à ces activités. En nous arrangeant pour partir d'ici juste après, nous n'aurons même pas à nous battre contre les Kalaxx.

– Êtes-vous capables de fabriquer ces détonateurs ?

– Oui. La raffinerie exigera une charge particulière, ce qui demandera un peu plus de temps.

– Mon laboratoire est à votre disposition. J'aimerais cependant me charger de placer ces bombes. Vos talents seront mieux employés à la défense de l'*Expédient*. Il nous faudra quitter l'île demain soir. Herr Schmidt m'assure que nous serons à même de prendre la mer à ce moment.

Le supérieur des Sujing Quantou se leva.

– Ainsi soit-il. Que notre pacte perdure, capitaine.

– C'est un honneur pour nous de le respecter, Maître Aa.

Les deux hommes échangèrent une poignée de main, puis l'oncle MacKenzie se tourna vers l'équipage du *Petit Mousse*.

– Beau travail de reconnaissance, mademoiselle, messieurs. Reste que vous méritez d'être châtiés pour avoir emprunté mon voilier sans ma permission.

Les épaules de Doug s'affaissèrent. Dire qu'ils étaient passés à deux doigts d'y échapper !

– Fichues noix de coco. J'en ai ma claque, des noix de coco. Tu parles d'une punition idiote !

Doug donna un coup de pied à son panier, qui s'envola en l'air. Lui et Becca étaient seuls sur le plateau où les squelettes avaient été mis au jour. Maintenant, six monticules indiquaient l'emplacement de leurs tombes récemment creusées.

– Tiens, prends donc le livre de Mme Ives, si tu préfères.

Sans enthousiasme, le garçon parcourut le titre : *Le jardin de Dieu : guide à l'usage du missionnaire quant aux comestibles poussant sous les tropiques*. Becca s'installa près d'un des canons qui pointaient avec mélancolie sur la plage. Tirant de sa poche les livres de codage et la lettre de sa mère, elle les étala sur le sol.

– Tu sais déchiffrer ce machin ?

– Non. Je crois qu'il te faut une clé ou quelque chose comme ça.

Doug regarda en direction de la redoute. En guise de sanction, Xu et Xi étaient soumis à des exercices d'art martial par Maître Aa. Ça paraissait beaucoup plus amusant que ramasser des noix de coco.

À l'aide des manuels, les deux enfants s'attaquèrent au communiqué secret rédigé par leur mère. Ils n'obtinrent rien de plus qu'un fouillis de lettres.

– C'est vraiment pénible ! gémit Becca. Nous avons ce message codé, nous avons les livres, et pourtant, ça ne marche pas.

– On pourrait interroger la Friture.

– Pour qu'il aille nous moucharder au capitaine ? Tous ces gens sont insupportablement susceptibles, quand il s'agit de secrets.

Ils continuèrent pendant quelques minutes, puis Doug se mit à rêvasser, écrasé par l'ennui. Becca s'escrima cependant, écrivant quelques phrases, déterminée à trouver au moins un mot.

Un éclat luisant dans le sol qui avait été remué là où l'on avait ramassé un des cadavres attisa la curiosité du cadet des MacKenzie. Il s'en approcha d'un pas nonchalant, se baissa, et déterra la garde d'une épée. La lame, désormais un morceau de rouille tordu, se brisa aussitôt, et le garçon se retrouva avec un moignon d'arme dans la main. Cela ne l'empêcha pas de le brandir de tous côtés, imaginant son propriétaire d'autrefois luttant contre les sauvages en un ultime combat désespéré.

– À ton avis, il a eu l'occasion d'utiliser ce sabre d'abordage avant de perdre la tête ? demanda-t-il à sa sœur.

Becca releva la tête pour examiner la trouvaille de son frère.

– Ce n'est pas un sabre, déclara-t-elle avant de gribouiller une nouvelle série de chiffres.

– Qu'est-ce que tu en sais ?

– C'est comme ça, point.

Le poignard à manche en os
(AM 00.23910 MAC)

Fouillant dans la terre, Doug dénicha le manche en os d'un poignard, dont la lame était intacte bien que déformée. Des filets d'argent tressé décoraient la poignée.

– Qu'est-ce que c'est ? marmonna Becca, son crayon entre les dents.

– Un poignard. Sauf si tu décides que non.

– Montre ! lança la jeune fille en recrachant son crayon.

Il lui tendit l'objet.

– Ce n'est pas un poignard.

– Si ! Regarde bien ! Je ne vois pas ce que ça pourrait être d'autre. Et l'épée brisée est bien un sabre d'abordage. Vise un peu l'épaisseur de la lame !

– Donne-la-moi.

Après quelques hésitations, Doug obéit. Becca examina les restes d'un œil averti.

– Alors, qu'en penses-tu ?

– Mais oui ! s'exclama la jeune fille en souriant. Ça y est, je commence à comprendre !

– Comprendre quoi ?

– Mon cher Douglas, j'ai l'impression qu'une deuxième visite de la caverne s'impose.

CHAPITRE NEUF

Maître Aa et ses Sujing avaient dégagé l'accès à la grotte et récupéré les canons pour leur propre usage. Les feuilles et branches brisées ainsi que les traces de roues des affûts conduisaient tout droit à l'entrée de la cavité. Des moustiques voletaient dans l'ombre basse formée par la voûte rocheuse. Il fallut un moment aux yeux des MacKenzie pour s'habituer à l'obscurité. Doug était surpris par ce que sa sœur avait paru identifier dans le vieux poignard et le sabre brisé. Mais la lueur bien connue qui éclairait son regard lui disait qu'elle avait vraiment flairé quelque chose.

Les Sujing n'avaient pas touché aux divers tonneaux, caisses et outils entassés dans la salle souterraine.

– Qu'est-ce qu'on cherche ? s'enquit Doug.

– N'importe quoi.

– D'accord. Et, parmi ce n'importe quoi, quelque chose en particulier ?

– Voyons d'abord ce qu'il y a. Inspectons tout ça.

Ils se mirent à la tâche, timidement d'abord, puis avec de plus en plus d'assurance, chacun brandissant ses trouvailles, énonçant à haute voix ce sur quoi il avait mis la main, un peu comme des commissaires-priseurs. Des barriques renfermaient de la viande salée et des biscuits de marin ; ici, un manteau ; là, trois paires de bottes ; un ballot contenant des instruments chirurgicaux, dont une scie à amputer à l'allure tout à fait redoutable et qui, selon Doug, pourrait encore efficacement servir ; des livres ; des plumes et un

Objets trouvés dans la grotte

Archives MacKenzie : objets du début du XVIIIe siècle, « sauvés » de la caverne par Doug. (1) Fourreau de pipe en argile ; (2) jeton de jeu en étain gravé d'un bateau ; (3) fer à cheval découvert dans un paquetage ; (4) clou de charpentier faussement étiqueté par Doug « broche chirurgicale de 10 cm ! » ; (5) billes – un jeu apprécié des marins durant leurs loisirs.

encrier; des outils de charpentier dans un coffre; un paquetage contenant les lambeaux de ce qui avait sans doute été une chemise. La liste ne cessait de s'allonger. Doug s'amusait, même s'il ne voyait pas très bien où tout cela menait. Quant à Becca, elle semblait décidée à aller jusqu'au bout de l'entreprise.

Cinq tonneaux énormes étaient marqués: VIANDE DE CHEVAL SALÉE. Ils allaient être difficiles à déplacer. Doug s'étonna brièvement que ces gens eussent choisi de manger du cheval. La poussière le fit éternuer.

– Après ces barriques, il ne restera plus rien, Becca.

– Amène-les à la lumière, je veux les examiner. Tous.

Il soupira. Les monstres lui arrivaient à l'épaule. Il tenta de pousser le premier, ne parvint même pas à l'ébranler. Le mieux était sans doute de le renverser pour le rouler. S'il réussit à faire vaciller le tonneau, cela n'alla guère plus loin. S'y adossant, il planta fermement ses pieds contre une saillie rocheuse et donna une forte poussée. La barrique chancela. Mais soudain, de l'autre côté, la pierre céda avec un craquement inquiétant sous les pieds de Doug.

– Qu'est-ce que tu fabriques, bon sang? s'écria son aînée.

– Regarde! s'écria-t-il en titubant pour ne pas tomber. La roche s'est cassée. Je crois que c'est juste de l'enduit.

Becca s'approcha pour inspecter l'endroit. D'une soixantaine de centimètres, la base du caillou se fondait dans les strates géologiques de la paroi. La jeune fille passa les doigts dessus, sentit le relief discret de ce qui ressemblait à un nombre ou une lettre.

– Tu as raison, dit-elle en frappant le plâtre. On l'a juste peint pour qu'il ne détonne pas sur le fond.

– Il y a quelque chose d'écrit? Qu'est-ce que c'est?

– I-S-E-E, épela Becca.

– ISEE ? Ça ne veut rien dire !

– Les deux dernières lettres sont difficiles à déchiffrer. Attends ! J'y suis. Ce n'est pas Isee, c'est 1533 !

– L'année de la fondation du Cercle ?

– Exactement.

– Qu'est-ce que le Cercle aurait fichu ici ? marmonna Doug en se penchant et en tapant à son tour sur l'enduit.

– Il cherchait les restes de vaisseau antique, à l'instar de Pembleton-Crozier ? suggéra sa sœur. Passe-moi ce mousquet, celui qui a encore sa baïonnette.

Elle cogna d'abord sur le plâtre avec la crosse du fusil, puis retourna celui-ci et enfonça la pointe de l'arme au cœur des chiffres, où elle s'enfonça comme dans du beurre. S'emparant d'une autre baïonnette, Doug s'y mit lui aussi. Des morceaux de plâtre dégringolèrent sur le sol. Bientôt, ils purent tirer dessus avec leurs mains.

– Il y a quelque chose derrière.

– Un trésor ?

– Arrête d'être aussi bébé, Doug !

– Mais enfin, ça se pourrait !

Et en effet, une pile ordonnée de pièces d'or était entassée dans une niche, à côté d'une ardoise carrée toute simple, sur laquelle on avait soigneusement gravé un texte. Les mots étaient aussi nets que s'ils avaient été écrits la veille.

Si l'an de grâce 1533 et les mots qui suivent ne signifient rien pour toi, voyageur, je te conjure de porter cette humble missive au palazzo de Selve, à Florence. Dis-leur, là-bas, qu'un Aventurier du Cercle l'envoie. Tu seras généreusement récompensé pour la bonté dont tu auras fait montre.

Un: l'ombre du Soleil portée sur le cadran par le compas donne le nombre de pieds.

Deux: multiplie-le par ses différentes faces pour obtenir la distance.

Trois: joins au nombre obtenu l'angle du chef pour définir le tracé.

Pars de la pierre-repère qui gît dehors. Avec ces mesures, tu devrais trouver ce qui a été perdu.

– Florence! J'en étais sûre! Ces squelettes étaient des membres du Cercle!

– Comment as-tu deviné?

– Le sabre d'abordage, comme tu l'appelles, était une claymore, tu sais, une de ces épées écossaises à deux tranchants. Le poignard est celui que portaient les natifs des Highlands. Nous avons vu ces armes des milliers de fois sur la peinture accrochée au-dessus de la cheminée, à la maison. Elles appartenaient à Duncan MacKenzie. Pas étonnant qu'il ne soit jamais rentré – il a été tué sur cette île!

– Mortel! Mais qui l'amenait ici?

– Cet archipel a une impor-tance particulière, Doug. P-C, l'ancien bateau, les mines de zoridium, les Kalaxx, ce message au Cercle rédigé par un MacKenzie, tout cela a un lien avec les îles. Nous devons essayer de deviner ce que signifient les paroles écrites sur l'ardoise. Nous n'arriverons peut-être pas à

L'ardoise et les pièces de monnaie. Cahier à dessins de Doug. (CDM 3/81)

déchiffrer le communiqué secret de mère, mais celui-là, je suis certaine qu'on y parviendra.

– Vraiment ? marmonna Doug en lisant une nouvelle fois les étranges directives.

Pour lui, elles étaient aussi mystérieuses que la lettre codée destinée à Borelli.

– Nous comprenons les mots, c'est déjà un bon point de départ.

Les pieds posés sur les rambardes, Doug se laissa glisser le long de l'échelle menant aux chaudières. Le caillebotis métallique qui recouvrait le sol résonna quand il sauta dessus. L'*Expédient* étant à l'arrêt, les chaudières ne fonctionnaient pas, et la salle des machines semblait aussi silencieuse qu'une fête foraine fermée pour l'hiver. Les deux énormes moteurs à trois pistons qui les avaient si courageusement portés durant le typhon dormaient de part et d'autre de la coursive. L'odeur qui régnait ici était unique, riches miasmes où se mêlaient lubrifiant et vapeurs expulsées par les chaudières. Le garçon leva les yeux sur les lucarnes du plafond et, une fois encore, s'émerveilla devant la complexité de la tuyauterie qui amenait l'air destiné à alimenter les fourneaux, lesquels chauffaient la vapeur propulsant le bateau.

Apercevant son neveu, le capitaine le salua d'un bref hochement de tête. Il était en pleine conversation avec Herr Schmidt, dit Chef, qui paraissait tendu et agité. Les mécaniciens s'activaient sur le palier de l'amortisseur de couple. Plus en arrière, le long de l'arbre de l'hélice tribord, le palier suivant avait été entièrement démonté. Un simple regard suffit à Doug pour estimer que les réparations étaient loin d'être terminées.

– Compris, Chef. Venez au rapport dans une heure. Douglas, mon garçon ! (Le capitaine se montrait étonnamment amical, en dépit de l'escapade de la nuit.) Suis-moi, veux-tu ? Nous parlerons en marchant. Il faut que j'aille voir où en sont les hommes qui s'occupent du système de gouverne.

L'oncle MacKenzie escalada l'échelle menant au pont principal avec une adresse surprenante.

– Bien, reprit-il, je voudrais savoir où tu en es de tes cours théoriques.

– C'est que je n'ai pas eu beaucoup l'occasion d'étudier, marmonna le garçon en tripotant nerveusement le jeton de jeu glissé dans sa poche.

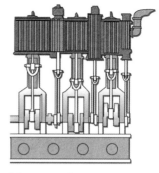

Moteur à vapeur à trois pistons

Type de moteur qui utilisait trois fois la vapeur haute pression avant de l'expulser. La vapeur entrait dans le premier cylindre haute pression, puis dans celui de pression intermédiaire et, enfin, dans celui basse pression. Chaque cylindre actionnait un piston relié au vilebrequin, lequel agissait sur l'arbre de l'hélice qui entraînait celle-ci, laquelle propulsait le navire.

– Piètre excuse, riposta le capitaine tout en escaladant vivement les échelons qui conduisaient au deuxième pont. Ce n'est pas parce que nous sommes coincés ici qu'il faut pour autant négliger ton instruction. Je te vois avec un cahier à dessins à la main plus souvent qu'avec un manuel de latin.

Soudain, une explosion retentit, du côté du laboratoire.

– Inutile de t'effrayer, mon neveu. Ce ne sont que les Sujing Quantou au travail.

Duchesse, qui était vautrée dans l'ombre de la coursive, tordit le cou lorsqu'une bouffée de fumée bleue filtra sous la porte. À demi endormie, elle se leva et bondit sur le roof ayant abrité le *Galatie*, où elle se réinstalla confortablement avant d'entreprendre une toilette minutieuse de ses pattes à grands coups de langue. Au loin, on apercevait Charlie pêchant dans la baie. Depuis leur arrivée sur l'île, le jeune homme s'était peu à peu renfermé sur lui-même, adressant à peine la parole à ses compagnons et prenant ses repas seul.

– Charlie n'est pas dans son assiette, hein ? fit remarquer Doug.

– J'en ai bien peur. Ce matin, il est venu dans mon bureau et s'est lancé dans un discours délirant. Il voulait construire un canoë pour tenter de rejoindre Mindanao.

– Serait-il une poule mouillée, à votre avis ?

– Comment ça ? Gare à ce câble !

– Eh bien, il n'a pas l'air décidé à se battre. Ce sont les froussards qui agissent comme ça, non ?

– Non. Certains parmi les plus braves refusent la bagarre eux aussi.

– Oui, mais Charlie semble préférer parlementer. Comme s'il n'avait plus rien dans le ventre.

– Il a été décoré pour son courage pendant la guerre. Charlie est tout sauf un poltron.

– Alors, pourquoi cette attitude ?

Le capitaine soupira.

– Le passage des *99 Éléments* qu'il a traduit, expliqua-t-il ensuite, a visiblement permis à Pembleton-Crozier et à Borelli de surmonter les problèmes auxquels se sont heurtés les membres de la Coterie en construisant leur premier générateur. Ces machines créent un vortex gravitationnel à chacun des pôles de l'axe. C'est ce que les apprentis sorciers n'ont pas compris, et c'est ce qui a provoqué l'explosion de leur prototype. La nouvelle interprétation de Charlie a amené à inventer un moyen de contenir ces champs gravitationnels et d'empêcher que ce genre de catastrophe se reproduise.

L'oncle MacKenzie ouvrit la porte menant aux cabines.

– Qu'est-ce que c'est, ce vortex ?

– Le Cercle n'a pas encore saisi toutes ses propriétés, mais imagine une tornade. Son énergie destructrice se concentre de plus en plus au fur et à mesure qu'elle tourbillonne. Le gyrolabe fonctionne à l'identique, à une échelle

ERASMUS IVES

Jeune matelot de pont, Ives avait sauvé le capitaine de la noyade quand leur bateau avait sombré, après une tempête dans l'Atlantique, au large de l'île de Nantucket. Depuis, ils étaient liés par une solide amitié.

moindre cependant. Tu en as toi-même été témoin lors de la démonstration que je vous ai faite dans mon bureau. Tu te souviens que l'appareil a brûlé le bois de la table. Si tu lèves les yeux (le capitaine tendit le doigt en l'air), tu constateras que le plafond montre lui aussi des marques de brûlure. Les 99 Éléments donnent une solution pour dissiper cette puissance énorme. C'est ce à quoi est parvenu Borelli, grâce à l'aide bien involontaire de Charlie. Le pauvre garçon se sent responsable.

Doug acquiesça. N'empêche, Charlie avait commencé à se comporter bizarrement avant même qu'ils découvrent ce que tramait la Coterie sur l'île de la Soufrière. Il y avait sûrement autre chose, une raison plus profonde à sa déprime. Mais quoi ?

Dans la salle de gouverne, l'atmosphère était aussi tendue qu'en bas, aux machines. Ives enveloppa un chiffon graisseux autour d'une clé et serra un boulon au maximum tandis que Sam l'Anguille, la Fuite et Cambouis s'arc-boutaient au cordage qui retenait le bras de direction.

– Le timon est toujours hors d'usage, capitaine, annonça Ives. Pourtant, nous avons tout essayé.

– Chef m'a déjà averti. Mais cela suffira, ne serait-ce que temporairement.

– Les ferrures de gouvernail ont besoin d'être usinées, et nous n'avons pas le temps pour ça. Nous serons obligés de fixer le bras de direction dès l'instant où nous enverrons la vapeur.

– N'empêche, le navire peut reprendre la mer.

– Ça n'ira que si nous avançons tout droit, capitaine.

– Contentons-nous de nos maigres progrès, monsieur Ives. Nous avons manœuvré jusqu'ici avec les hélices, nous en repartirons de la même façon.

– Écoutez, capitaine, j'aime ce bateau autant que vous, mais si c'était un chien, vous l'achèveriez.

Les visages des autres matelots indiquaient qu'ils partageaient cette opinion.

– L'*Expédient* nous sortira d'ici, croyez-en ma parole.

Une demi-heure plus tard, Becca attrapa son frère par le coude et l'attira dans le carré du capitaine.

– Hé! protesta-t-il. Qu'est-ce qui te prend?

– 1533, murmura Becca, tout excitée. Le nombre inscrit dans le plâtre constitue un indice. C'est forcé. L'ardoise est susceptible d'être déchiffrée par n'importe quel membre du Cercle. Qu'est-ce qui les unit tous? Qu'est-ce que le capitaine et nos parents ont accroché à leurs murs?

– Une reproduction des *Ambassadeurs*, le tableau peint en 1533 ?

– Exact ! Duncan MacKenzie était cerné par des Chasseurs de Têtes, il fallait qu'il dissimule ce qu'il avait découvert ici.

– Le vaisseau antique !

– Peut-être.

Des draps blancs destinés à les protéger de la poussière avaient été tendus sur les meubles par Mme Ives. Cela n'empêcha pas Becca de retrouver rapidement l'exemplaire des *Ambassadeurs* appartenant

LES *AMBASSADEURS* DE HANS HOLBEIN

Bien des éléments de ce tableau laissent supposer qu'il recèle un secret caché, sur lequel les érudits se sont cassé les dents durant des siècles. Cependant, certains documents des archives MacKenzie affirment que cette peinture célèbre la fondation du Cercle du Savoir, en 1533.

au capitaine. Elle tira son journal de sa poche, et Doug constata qu'elle y avait recopié les indices donnés par l'ardoise. Il les lut à haute voix, tandis qu'elle examinait la peinture.

– « Un, cita-t-il, l'ombre du Soleil portée sur le cadran par le compas donne le nombre de pieds. Deux : multiplie-le par ses différentes faces pour obtenir la distance. Trois : joins au nombre obtenu l'angle du chef pour définir le tracé. Pars de la pierre-repère qui gît dehors. Avec ces mesures, tu devrais trouver ce qui a été perdu. »

– Il y a pas mal d'objets qui ressemblent à un cadran solaire, dans ce tableau !

– Quant au chef, est-ce l'un des bonshommes ?

Les deux personnages de l'image, Jean de Dinteville et Georges de Selve, étaient accoudés à une table encombrée d'instruments scientifiques. Le regard qu'ils jetaient hors de la toile était envoûtant. Dans la partie inférieure de la composition s'étalait le mystérieux crâne déformé, lequel était percé à l'endroit où, manifestement, une dague de défense avait plongé[11]. Doug identifia un des objets qui l'avait turlupiné depuis leur raid dans le sous-marin. Il s'approcha pour mieux l'examiner.

– Becca, murmura-t-il, le globe, c'est le même que celui que nous avons vu à bord du submersible.

En effet, derrière le bras de Jean de Dinteville se trouvait une sphère armillaire bleue et dorée, identique à celle qui avait abrité le gyrolabe apporté à Pembleton-Crozier par Borelli. Doug déchiffra le nom de la constellation la plus visible.

– Galatie! C'est comme ça que s'appelle le sous-marin du capitaine.

De son côté, Becca avait repéré un détail qui confirmait qu'il s'agissait bien de la même chose.

– Regarde! lança-elle. Des têtes de bélier aux cornes recourbées. Le symbole des Sujing Quantou.

– Où ça?

– Elles soutiennent le cercle qui entoure l'équateur. Tu n'en distingues que deux, mais elles sont positionnées à chaque quadrant, donc il doit y en avoir quatre. Représentant les quatre chapitres de l'Ordre des Sujing, les défenseurs et protecteurs des gyrolabes.

– Est-ce qu'il pourrait s'agir du cadran solaire? demanda soudain Doug dont l'attention avait été attirée par un autre des articles posés sur la table. On dirait qu'un petit compas y est intégré.

– Combien de côtés a-t-il?

– J'en vois quatre.

---

11. Dague lancée par une Becca enragée, pour le plus grand déplaisir de son oncle. *(Voir Livre I, chapitre 2, p. 52.)*

Le dessin était d'une rare finesse. De délicates veines triangulaires étaient projetées sur chacune des faces afin d'y reproduire une ombre portée. Tous les pans représentaient une horloge.

– Qu'est-ce qu'indiquent les ombres ?

– Dix heures passées de quelques minutes sur le dessus, un peu avant dix heures sur un côté, un peu après dix heures sur l'autre… Le peintre a besoin de mettre sa montre à l'heure !

– La ferme, idiot ! Et si on faisait la moyenne ?

– On obtient dix. Dix fois quatre égale quarante. Sûrement les quarante pieds mentionnés dans le premier indice.

– Sauf que je ne vois toujours pas ce qu'il a bien pu vouloir dire avec ce « chef ».

– Il parle aussi d'un angle. Tu crois que ça a un rapport avec la façon dont les deux types se tiennent ?

– Peut-être, mais comment savoir duquel il s'agit ? Non, il doit y avoir une autre explication.

Les jeunes MacKenzie se perdirent dans des abîmes de perplexité.

– En tout cas, la solution figure forcément sur le tableau, finit par soupirer Becca.

Tout à coup, des pas résonnèrent. Laissant retomber le tissu protecteur, les enfants déguerpirent en un clin d'œil.

Becca ne dormait pas. Allongée sur sa couchette, elle réfléchissait aux indices qui, toute la journée, l'avaient obsédée. *Chef.* Qu'est-ce que ce mot recouvrait ?

Brusquement, dehors, retentit le vacarme d'échelons que l'on descendait en trombe, suivi d'un bruit de course dans le couloir. Quelqu'un tambourina à la porte des Ives.

– Charlie se sauve, bosco ! brailla le marin Messop, dit le Clown. Il a pris le *Petit Mousse* !

Ives se rua hors de sa cabine et grimpa l'échelle quatre à quatre. S'asseyant, Becca passa la tête par le hublot. Elle aperçut Charlie qui s'éloignait à la rame dans l'obscurité. Sur le pont au-dessus, la voix du capitaine explosa :

– Charlie ! Bordez ces avirons !

– Il le faut… il le faut…

Telle fut la réponse lointaine du fuyard.

– Revenez ici immédiatement !

Glouton et Sam l'Anguille se jetèrent à l'eau et tentèrent de rattraper le voilier à la nage, mais Charlie avait trop d'avance. Déjà, il hissait la voile. Le vent s'y engouffra, et le dinghy disparut.

CHAPITRE DIX

À l'aube, Doug descendit sur la plage pour récupérer la ligne d'ancrage du *Petit Mousse*. Il ne comprenait pas la désertion de Charlie et il regrettait de ne pas avoir essayé de saisir ce qui avait tant troublé son ami. Le capitaine était déjà debout, le regard perdu sur la baie.

– Je me demande ce qui l'a poussé à faire ça, lança le garçon en enroulant le cordage qu'il noua au jas.

Une voix stridente empêcha son oncle de lui répondre.

– Capitaine ! Capitaine MacKenzie !

C'était Mme Cuthbert, le chef du chœur des veuves, qui approchait d'eux d'un pas vif.

– Bonjour, madame Cuthbert. Je suis ravi de constater que vous êtes rétablie.

– Et moi, je suis ravie que ce bateau à rames ait disparu. À un moment, j'ai cru que vous alliez nous ordonner de nous serrer dedans comme des sardines, et vogue la galère !

Le capitaine coinça sa canne sous son bras de façon à allumer sa pipe.

– Hélas, le dinghy était indispensable à mes plans, que je suis forcé de réviser. Mais aucune importance. En quoi puis-je vous aider, madame ?

MME CUTHBERT

Veuve au caractère bien trempé, qui répondait aux coups du sort en chantant, elle étonna même le féroce seigneur de guerre Sheng-Fat en ne cessant de brailler du Wagner durant tout le temps que le pirate mit à lui trancher l'auriculaire.

– Tatata, capitaine, c'est moi qui suis venue vous proposer mes services ! Nous nous ennuyons à mourir, dans cette dunette transformée en hôpital. Tandis que votre Mme Ives est à nos petits soins, telle une soubrette de la Cinquième Avenue, nous sommes désœuvrées et nous voulons nous rendre utiles.

– Je vous félicite pour cette noble initiative. Cependant, nous avons toutes les mains qu'il nous faut.

– Tatata, capitaine, c'est loin d'être vrai, et vous ne trompez personne.

– Nous aurons quitté cet endroit cette nuit, madame, vous avez ma parole.

Il en fallait cependant plus pour décourager la tenace veuve.

– Nous savons que Pembleton-Crozier, ce... ce pote de Sheng-Fat, se trouve sur l'île voisine. Mes amies et moi sommes d'accord pour tenir la redoute et nous battre.

L'oncle MacKenzie eut un rire sans joie.

– Si je ne m'abuse, vous dirigez une chorale féminine, n'est-ce pas ? Vous chantez toujours ?

Pour toute réponse, son interlocutrice se lança dans une série de gammes à vous percer les tympans. Le capitaine tressaillit.

– Je vois, murmura-t-il. Eh bien... Pourquoi pas ? Il se pourrait que j'en appelle à vous pour un requiem. Lequel a votre préférence ?

– Mozart est toujours une valeur sûre, décréta la dame d'un ton impérieux. Mais ne vous attendez à rien de très spectaculaire. Sheng-Fat nous a quelque peu coupé la chique. Et pas que la chique, d'ailleurs, précisa-t-elle en agitant sa main bandée.

– Va pour Mozart, alors. Laissez les combats à Maître Aa et à mes hommes, et nous nous adresserons à vous pour un soutien d'un type plus spirituel.

– Fort bien, capitaine. Vous et Mozart pouvez compter sur moi.

Le capitaine discutait de la perte du voilier et de ses conséquences avec Maître Aa.

– Une simple fusée serait vraiment capable de frapper l'entrepôt de dynamite à cette distance ?

– Il n'y a rien de simple dans nos fusées, capitaine. Une fois que nous l'aurons lancée, nous devrons appareiller. Il est indispensable de partir avant que les Kalaxx ripostent.

– Bah, c'est notre seule chance, de toute façon ! Je ne vois nulle autre option.

– Les deux bombes sphériques destinées au générateur et à la raffinerie sont prêtes. Elles sont infiniment puissantes, et fort délicates. Il faudra les manier avec précaution. Je m'occupe de la fusée immédiatement.

À cet instant, Liberty dégringola la passerelle à grands bonds et se dirigea vers eux.

– Hé, 'pitaine ! appela-t-elle. C'est vrai, ce que je viens d'apprendre ? Ce bégayeur d'Angliche s'est tiré avec le voilier ?

– Oui. Charlie a, semble-t-il, eu une crise d'angoisse.

– Une crise d'angoisse ? Ben voyons ! C'est moi qui vais en piquer une, si je ne pars pas d'ici tout de suite. Où a-t-il filé ?

– Nous ne savons pas exactement. Nos vigies ne l'ont pas aperçu. Dites-moi un peu : quel prix seriez-vous prête à payer pour quitter cette île ?

0   5 mm   10 mm

BOMBE SPHÉRIQUE SUJING QUANTOU

Bien plus puissante que les disques de combat des Sujing (voir Livre I, chapitre 14, p. 218), cette arme de destruction pas plus grosse qu'une main était idéale pour saboter les bâtiments et les mécaniques de toute nature. Son retardement était contrôlé par un fusible réglable. L'explosif qu'elle renfermait était une formule réunissant plusieurs éléments chimiques instables – elle devait donc être maniée avec précaution.

(AM 00-22151 SUJ)

– Pardon? (Flairant les ennuis, l'Américaine baissa d'un ton.) Je me méfie de vous, 'pitaine. Je devine quelque chose de pas très catholique.

– Accepteriez-vous de nous aider?

– Précisez.

– Il est impératif que je détruise le générateur bâti sur l'île voisine.

– Dans ce cas, je serais tout bonnement ravie de vous donner un coup de main, 'pitaine, railla Liberty. Désirez-vous que j'émette un signal de fumée pour que les Kalaxx nous envoient un bac?

– Je suis sérieux, mademoiselle da Vine. Vous avez une chose dont j'ai besoin. Et qu'aucun de mes hommes ne possède.

– Quoi? marmonna la Texane, suspicieuse. L'esprit? Le charme? Une passion pour la haute couture?

– Vous êtes aviatrice. Je voudrais que vous pilotiez mon avion.

– Quel avion? s'emporta la jeune femme. Vous avez l'intention d'en fabriquer un en bambou?

– Un FE2. Un hydravion à moteur propulsif. Il y en a un à bord de l'*Expédient*.

Liberty scruta le visage de Fitzroy MacKenzie pour tâcher de déterminer s'il plaisantait.

– Seriez-vous en train de m'annoncer que vous avez un coucou à bord et que vous n'en avez jamais parlé?

– Mon aéroplane n'est pas à louer.

– Et qu'est-ce qui vous pousse à croire que le pilote l'est?

– Une fois là-bas, je suis sûr que vous vous débrouillerez pour récupérer *Lola*. Ainsi, vous pourrez regagner la civilisation à votre guise.

– Espèce de vieux renard mal dégrossi ! Et les Kalaxx, dans tout ça ?

– Je n'ai pas l'intention de les attaquer. Juste de déposer les bombes des Sujing et de m'en aller. L'*Expédient* sera mis à l'eau à l'instant même où une fusée frappera, en guise de diversion.

– Et moi, pendant ce temps, je m'envole à tire-d'aile, c'est ça ?

– Je vous serais extrêmement reconnaissant de me ramener à mon navire d'abord.

– Ben tiens ! Je jouerai les taxis, par la même occasion ! Quoi qu'il en soit, ils nous verront venir. Et nous entendront aussi, avec le bruit du moteur.

– Nous nous laisserons porter par le courant loin de l'île Australe, puis nous décollerons, grimperons aussi haut que possible, couperons le moteur et planerons sur plusieurs kilomètres. Il va de soi que cette mission se déroulera de nuit.

– Comme c'est romantique ! Rappelez-moi de m'habiller pour l'occasion. Et maintenant, laissez-moi réfléchir. Un vol de nuit, un amerrissage moteur coupé… c'est quasiment impossible.

– Ah, mais votre réputation vous a précédée, mademoiselle da Vine ! Il paraît que vous êtes une aviatrice hors pair. Aurais-je surestimé vos talents ? Si ma requête dépasse vos possibilités, n'en parlons plus.

– Hé, mollo, mon pote ! Je peux parfaitement vous amener là-bas, c'est un jeu d'enfant. Quand projetez-vous de mettre votre plan de dingue à exécution ?

– Cette nuit.

– De quoi ? s'étrangla Liberty. Oh, et puis zut, ajouta-elle l'instant d'après, sourcils froncés, s'il faut en passer par là pour retrouver *Lola*… allez, banco !

– Marché conclu ?

– Topez-là, 'pitaine !

– Une dernière chose, précisa l'oncle MacKenzie. La *Coccinelle* nécessitera quelques attentions avant que nous décollions.

– Hein ?

– Rien de bien grave. Il est en pièces détachées. Il suffit juste de le remonter et de procéder à une petite révision.

– Il ne s'agit pas de ça ! Comment avez-vous dit qu'il s'appelait, votre zinc ?

– La *Coccinelle*.

– Alors ça, cracha la Texane, vous me la copierez ! En tout cas, une chose est sûre, mon petit vieux. Vous allez devoir lui trouver un autre nom !

– Est-ce qu'on vous parle du Cercle, chez les Sujing ? demanda Doug à Xu en lui servant un verre d'eau.

Les jumeaux étaient de garde à la redoute et observaient la jungle par-dessus la barricade de bambous acérés. Quelque part devant eux, des mouvements agitèrent les frondaisons.

– Le Cercle du Savoir ? Pas vraiment, non, pourquoi ?

– Oh, comme ça. Je me disais qu'on vous apprenait à connaître vos alliés.

– Ils nous en parlent, mais juste à l'occasion, quand on nous enseigne les guerres Ha-Mi et tout ça. D'ailleurs, tu devrais être plus au courant que nous, non ?

– L'oncle MacKenzie n'est pas très bavard à ce sujet.

– Et qu'est-ce que tu voudrais savoir ?

Couvre-chef
avec l'insigne
de la tête de bélier

Insigne de la tête
de bélier (détail)

Tenue de combat Kalaxx
(chapitre septentrional des Sujing)

La panoplie des Kalaxx était fortement influencée par leur exil russe (1720-1861).
L'équipement comprenait des cartouches de poudre portées en bandoulière sur le torse,
à la manière des Cosaques, une épée de combat à poignée ornée du motif de la tête
de bélier, un pistolet à silex caucasien et un poignard de cérémonie glissé dans la large
ceinture rouge des Sujing Quantou.

Les prisonniers Kalaxx. Cahier à dessins de Doug. (CDM 3/86)

– Qui en a été le premier chef.

Les yeux vides de Xu et Xi confirmèrent à Doug qu'il ne s'adressait pas aux bonnes personnes. Soudain, des voix bourrues résonnèrent.

– Les voilà ! chuchota Xi.

Quatre guerriers Sujing surgirent de la forêt en poussant devant eux deux prisonniers kalaxx. C'étaient des géomètres, comme l'indiquaient les outils suspendus dans leur dos.

– Regarde-moi ces chiens de Kalaxx, lança Xi. Nous les avons capturés dans nos pièges cachés près du poste d'observation.

– Qu'est-ce qu'on va en faire ? s'inquiéta Doug. Les autres ne risquent pas de noter leur absence ?

– Les Kalaxx se rapprochent. Ça devient dangereux. Mais nous sommes prêts. Nous nous battrons !

En dépit des paroles bravaches de Xi, le jeune MacKenzie remarqua que ses amis reculèrent légèrement lorsque leurs ennemis jurés furent tout près. Les Kalaxx étaient d'une taille aussi imposante que celle des Sujing. Ils avaient aussi les mêmes yeux enfoncés. Leurs vêtements en revanche étaient moins élaborés, plus influencés par le goût russe que chinois ou japonais. Tous deux arboraient de longues barbes en broussaille, et une large ceinture rouge ceignait la taille de leur sarrau, au-dessus de pantalons larges enfoncés dans des bottes cavalières en cuir, à la cosaque.

– Deux de moins ! s'exclama le toujours optimiste Xi.

– Plus que quatre cent quatre-vingt-dix-huit à rétamer, acquiesça Doug.

Debout sur le gaillard arrière, Becca observait, fascinée, le curieux hydravion qui était hissé, morceau par morceau, des soutes de l'*Expédient*. Elle l'avait aperçu une fois, mais c'était la nuit, et elle n'en avait pas gardé un souvenir très précis. À la lumière du jour, il ne ressemblait pas du tout à ce à quoi elle s'était attendue. Les ailes et le fuselage étaient déjà sur la plage, où la Chance et la Fuite se disputaient à propos de l'ordre dans lequel il fallait assembler l'appareil. Liberty était songeuse, s'efforçant visiblement de prendre la mesure de cet aéroplane un peu bizarre et de saisir la façon dont ses différentes pièces s'emboîtaient. Jamais encore la jeune fille ne l'avait vue aussi absorbée par un sujet. Ses yeux brillaient d'impatience, tandis qu'elle arpentait le sable en aboyant des ordres secs.

– Attention ! s'énerva-t-elle quand

LA CHANCE
ET LA FUITE

*La Chance, le charpentier de l'*Expédient*, et la Fuite, le mécano du* Galatie, *se chamaillaient sans cesse, et il n'en fallait pas beaucoup pour les lancer dans une dispute, un des grands plaisirs de l'équipage en mal de divertissements. À part ça, ils étaient absolument charmants. Sauf l'un envers l'autre.*

HYDRAVION D'OBSERVATION FE2Q

LA *COCCINELLE*

(PLUS TARD REBAPTISÉE LE *DRAGON BELLIQUEUX*)

DOCUMENT CONFIDENTIEL

Dessin à l'échelle – Bon à tirer

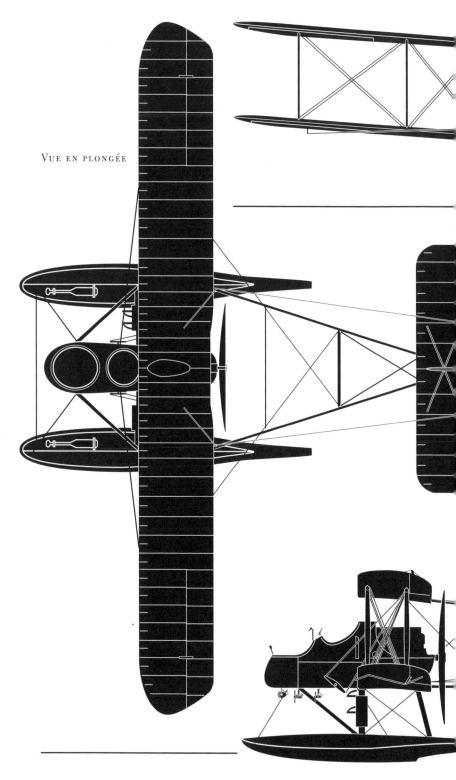

VUE EN PLONGÉE

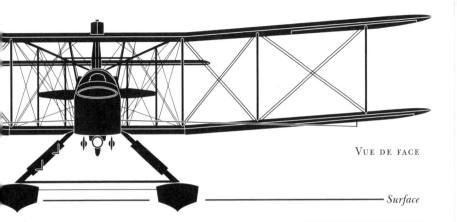

Surface

ARMEMENT OPTIONNEL

Le FE2q était équipé de deux mitrailleuses Lewis .303, toutes deux commandées par l'observateur. Il n'y avait ni harnais de sécurité ni parachute à bord.

L'armement consistait par ailleurs en un portique ventral comprenant quatre bombes de 12,5 kilos, dont le mécanisme de largage était déclenché par le pilote. Le poids supplémentaire représenté par ces armes les rendait extrêmement impopulaires auprès des aviateurs. L'hydravion, de faible puissance, était déjà surchargé par

les lourds flotteurs et son transmetteur radio, vital dans le rôle d'avion de renseignement pour le compte de l'Expédient. De ce fait, ce lest supplémentaire était rarement embarqué. Il fallait au pilote un rare courage pour décoller sur une mer agitée en transportant des bombes amorcées, fixées à seulement quelques centimètres de la surface.

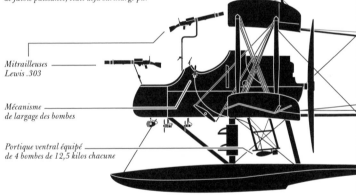

Mitrailleuses
Lewis .303

Mécanisme
de largage des bombes

Portique ventral équipé
de 4 bombes de 12,5 kilos chacune

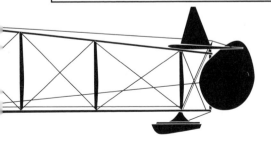

MÈTRES

0   1   2   3

Surface

l'ultime composante du meccano, la queue, bascula en avant et dégringola sur le sable. *Nous ne sommes pas en train d'attraper une vache au lasso! Nous montons un fichu avion!*

Les dégâts étaient importants : l'hélice était fendue, et l'empennage arrière en lambeaux.

– Rien de grave, mon...

Les paroles de Liberty se perdirent dans le vent.

– Je parie que le vilebrequin est mort.

Becca regarda autour d'elle avec appréhension. Par bonheur, Doug n'était pas assez près pour avoir entendu. Liberty récupéra la queue de l'appareil et la dégagea du filin de levée. Puis elle sauta dans le cockpit et brailla :

– Qu'est-il arrivé au dernier aviateur qui est monté là-dedans ?

– Il s'est tué, répondit sereinement le capitaine, qui surveillait le déroulement des événements depuis la grève. Le revers d'une activité dangereuse.

– Ce fichu crétin a laissé plein de sang partout ! Vous avez une hélice de rab ?

– Il me semble que oui.

Becca descendit de la passerelle et s'approcha.

– Qu'en pensez-vous ? demanda-t-elle à Liberty. Vous arriverez à faire voler cet engin ?

– Naturellement ! Donne-moi une paire d'ailes, et je te fais décoller une baraque en briques ! Un bon pilote est aussi un bon mécano, c'est la première chose que j'ai apprise. Allez, cousine, grimpe là-dedans, ça stabilisera la bête. Je vais lancer l'hélice, enfin ce qu'il en reste, histoire de voir si elle tourne.

Pas très rassurée, Becca obtempéra.

– T'inquiète, cousine, tu ne risques pas de t'envoler sans essence ni ailes.

– C'est juste que… c'est bizarre. Ça va, si je mets les pieds sur le fauteuil ?

– Débrouille-toi, mais dépêche, nom d'une pipe !

Tandis que Liberty bricolait le moteur, la jeune fille s'installa dans le siège en osier. Le tableau de bord était effectivement taché de sang séché, ce qui, bizarrement, ne la rebuta pas. Les cadrans et les interrupteurs indiquaient ou commandaient tout un tas de mesures diverses et variées dont elle n'avait jamais entendu parler : indicateur d'inclinaison, tachymètre, boîte anéroïde, vélocimètre, interrupteur des magnétos. Seuls deux instruments lui étaient familiers : le compas (son père lui avait appris à s'en servir lors de leur traversée de l'Hindu Kush) et la pendule, qu'elle régla à la bonne heure et remonta, satisfaite d'avoir au moins fait quelque chose. Puis elle découvrit la colonne de gouverne et le manche et, soudain, en un éclair électrisant, elle sut à quoi elle désirait consacrer le reste de sa vie – à piloter des avions. Dans son enthousiasme, elle agita le bras dans la direction de son oncle, lequel lui renvoya la pareille, un sourire surpris aux lèvres.

– Cela semble t'aller comme un gant, ma nièce, ajouta-t-il avec un hochement de tête approbateur.

– Qu'est-ce exactement qu'un vilebrequin, et comment le répare-t-on ? demanda Becca à l'Américaine.

Journal de Becca: 11 mai 1920, au matin

Doug et moi sommes offusqués. Nous avons été expédiés sur la péninsule avec un tas de livres à lire et un sujet de rédaction. Lui comme moi n'arrivons à croire que le capitaine puisse penser à des détails aussi futiles qu'une dissertation en un moment pareil. Deux heures de travail scolaire! Sous prétexte qu'il serait mauvais de négliger notre éducation.

Juste au moment où nous nous mettions à la tâche, des nouvelles ahurissantes nous sont parvenues du poste de guet. Un immense aéronef a atterri sur l'île voisine. Que diable fiche-t-il ici? Nous ne l'avons pas aperçu, dans la mesure où l'Expédient est si bien caché. Quand même, nous avons eu de la chance de ne pas être repérés. Doug n'arrête pas de sauter dans tous les sens en exigeant à cor et à cri de se rendre là-haut pour jeter un coup d'œil au dirigeable, mais le capitaine le lui a formellement interdit. Sam l'Anguille a annoncé que dix passagers avaient débarqué. Leur identité reste un mystère.

Quant à mes rêves de voler, je crois qu'être assise dans le cockpit de la Coccinelle a été la meilleure chose que j'aie connue depuis le début de cette année atroce. Je voudrais tout apprendre de ces appareils, apprendre à les piloter aussi. Je regrette tant de ne pouvoir être là-bas, en train d'aider Liberty à réparer l'hydravion!

Depuis notre escapade dans le sous-marin, Doug paraît moins ravi par son récent statut de membre du Cercle. Il n'a pas souhaité confier le message de Duncan au capitaine. À mon avis, il commence à se rendre compte que l'organisation a des ennuis. Ce dont Mère et Père se doutaient sûrement.

Les réparations de l'Expédient prennent trop de temps. Les Kalaxx ne vont pas tarder à découvrir qu'une de leurs équipes d'éclaireurs manque à l'appel et à envoyer des hommes aux nouvelles. Cette menace vibre dans l'air, excitante et inquiétante à la fois. Comment notre oncle veut-il que nous nous concentrions sur nos devoirs ?

CHAPITRE ONZE

Quand Doug et Becca revinrent au bateau pour déjeuner, le capitaine était encore en pleine inspection des machines. Laissant tomber leurs livres sur la table de la cuisine, les jeunes MacKenzie attrapèrent un biscuit pour tromper leur faim et se précipitèrent sur la plage afin d'y constater les progrès de Liberty.

Par prudence – autant éviter d'être repéré par l'ennemi – une toile hâtivement montée sur une structure abritait l'hydravion. À l'intérieur de cette tente improvisée, l'appareil donnait plus l'impression de pouvoir voler que le matin. Les ailes et les flotteurs y avaient été fixés, l'hélice cassée avait été remplacée et le plein d'essence fait. La Texane s'activait fiévreusement, s'encourageant elle-même en marmonnant :

– Pas question de rester coincée sur ce tas de cailloux. Rien ne m'arrêtera. Des clous ! Passez-moi cette maudite clé, espèce d'empoté !

La *Coccinelle*, rebaptisée le *Dragon Belliqueux* avec un optimisme outrancier par Liberty, était une machine étrange. Son vaste cockpit prévu pour deux personnes saillait comme un menton proéminent devant ses ailes, lui donnant l'apparence d'un aimable visage. L'aviatrice mit aussitôt les deux MacKenzie à contribution, en leur ordonnant de tout peindre en noir.

– Histoire que cette baignoire volante ait l'air un peu plus méchant, précisa-t-elle.

Doug proposa de décorer les flancs de l'engin d'un dragon volant (il avait déniché un pot de peinture rouge).

– Bravo mon pote! s'écria l'Américaine. Exactement comme *Lola*!

Becca trouva l'idée bonne, elle aussi, et, une heure plus tard, le petit biplace à moteur propulsif s'était transformé en un élégant animal mythique armé de crocs imposants, résultat étonnamment efficace au vu des maigres moyens dont avaient disposé les artistes. Une étoile symbolisant le Texas fut dessinée sur la queue, ajoutant une touche finale à cette œuvre d'art.

– Comment Pembleton-Crozier s'y est-il pris pour vous piquer votre avion? s'enquit Doug tandis qu'il coloriait l'intérieur de l'étoile. Vous l'avez forcément fréquenté d'un peu près, à Fuzhou, non?

– Cet escroc de bas étage? Oui, je le connaissais, mais n'allez pas vous imaginer que nous étions amis ni rien. C'est le pire des faux jetons. Les choses ont mal tourné quand il a découvert qui était mon père.

– Que fichiez-vous à Fuzhou?

– Des affaires. Je devais rencontrer un contact de mon paternel, un certain Capulus. Ha! Ce type et Pembleton-Crozier, quel duo! Capulus est russe, je crois, il s'est présenté comme un négociant en sulfure de mercure, originaire de Samarkand, où que soit ce bled. Un soir, nous nous sommes tous retrouvés dans un bar. P-C a commencé à vouloir tirer les vers du nez de ce Capulus, à propos d'un endroit appelé Urticaire... Urticant... enfin, un truc comme ça.

LE MINERAI DE CINABRE

(Sulfure de mercure – HgS)
Le cinabre est le minerai principal d'où est extrait le mercure. De couleur rouge vif, il est également connu sous le nom de vermillon. Il arrive que des gouttelettes de mercure argenté se trouvent dans le minerai lui-même. Les principaux centres d'extraction du cinabre sont situés en Italie et en Espagne.

IDÉE ORIGINALE DE DOUG POUR HABILLER LA CARLINGUE DU *DRAGON BELLIQUEUX*

Becca et Doug échangèrent un regard entendu.

– Ur-Can? suggéra la jeune fille.

– C'est ça! Tu parles d'un nom à coucher dehors avec un billet de logement. Sûrement le pire trou qui soit, non? Capulus paraissait ne rien piger. Tout à coup Pembleton-Crozier est devenu carrément dingue. Il a sorti un flingue et en a menacé le type. Une bagarre a éclaté, et le Ruskoff a pris la poudre d'escampette en sautant par la fenêtre et en détalant sur les toits. La minute d'après, c'est dans *mon* ventre que P-C enfonçait l'arme, avant de me mener à Sheng-Fat, histoire que j'alimente son petit trafic d'otages privés d'auriculaire. Quand j'ai appris que Crozier m'avait volé ma *Lola*, ça a été le bouquet. Comment ai-je pu être aussi gourde? Mais bon, Sheng liquidé, plus qu'un seul sur ma liste, ajouta-t-elle avec un sourire sans joie.

Avant que Becca ou Doug aient eu le temps de lui demander ce qu'elle projetait, le capitaine s'interposa, surprenant tout le monde par sa brusque apparition à la porte en toile.

– Douglas! Tu pourrais sans doute aider l'équipe de M. Ives à déplacer des tuyaux. M. Chambois a aussi besoin d'un coup de main pour sa rampe de mise à l'eau. Quelle transformation, mademoiselle da Vine! Et peint en noir, qui plus est, pour un meilleur camouflage nocturne. Bien joué.

L'oncle MacKenzie entraîna Doug avec lui. Après quelques gestes impolis dans son dos, Liberty lança:

– Saute dans le cockpit, cousine, et appuie à fond sur la pédale de droite. Je dois ajuster les câbles.

Becca retourna donc à l'intérieur du *Dragon Belliqueux*, le cœur battant. Pendant la demi-heure qui suivit, elle obéit aux instructions de Liberty, manœuvrant des pédales, poussant et tirant le manche jusqu'à ce que toutes les commandes de l'appareil répondent correctement aux ordres du pilote. Chaque fois, l'Américaine expliquait ce qu'elle faisait et à quoi servait tel ou tel bouton. Ses réglages terminés, elle escalada l'échelle qui menait au cockpit.

– Eh bien, s'esclaffa-t-elle. Regarde-toi, cousine ! C'est la première fois que je vois un tel sourire sur ton visage. Il est temps de prendre ta première leçon.

– Mais nous ne pouvons pas décoller !

– Inutile de mettre la charrue avant les bœufs ! Tu as des tas de choses à apprendre au sol.

Une fois n'est pas coutume, la Texane s'exprimait lentement et sérieusement, comme si elle partageait des secrets d'une importance vitale.

– L'essentiel, enchaîna-t-elle, c'est de dégoter un courant ascendant. N'oublie jamais ça, surtout dans une région montagneuse. Ça ne sert à rien de tirer sur la sauce. Par ailleurs, le givrage…

Ainsi se poursuivit la leçon. Tous les interrupteurs et tous les cadrans furent expliqués. Becca ne comprit pas tout, mais elle était aux anges. Il était déjà tellement exaltant d'être assise dans l'avion, elle imaginait à peine l'effet que devait en produire le pilotage.

– Tiens, attrape ce chiffon et essuie-moi ce fichu sang. Le pauvre gars a sûrement dû s'exploser le chef pour que ça gicle de tous les côtés comme ça.

Soudain, un rouage se mit en place dans l'esprit de la jeune fille. Le chef ! Mais oui. Pas un leader quelconque, mais le vieux mot pour dire la tête, en l'occurrence, le crâne, et que Liberty avait employé de manière plaisante, à son habitude. Grâce à elle, Becca venait de deviner le troisième indice de l'ardoise.

– Tout va bien, cousine ? s'inquiéta l'Américaine, un sourcil levé.

– Quand je mettrai à feu les charges de cordite enfoncées dans le périmètre que nous avons creusé autour de l'*Expédient*, la mer s'y engouffrera, expliqua Chambois en essuyant son visage couvert de sueur.

– De la cordite, répéta Doug, ravi. Mortel !

Relevant son pantalon, le Français s'enfonça dans l'eau.

– Nous devons abaisser artificiellement le niveau de la plage pour que le bateau flotte. J'ai placé douze charges. Les tuyaux que j'ai installés empêcheront la succion entre le sable et la coque…

– Je… je ne pige pas.

– Pour plus d'efficacité, je compte insuffler de l'air sous le navire. Imagine ta chaussure coincée dans la boue. Si tu arrivais à injecter de l'air dessous, elle s'extirperait de là en un clin d'œil. *Et voilà*[12] !

– Si je résume, votre rampe de mise à l'eau rapprochera l'océan, l'air brisera la tension de surface, et vogue la galère. Les explosifs ne risquent-ils pas tout simplement d'éventrer la coque ?

– Non. J'ai dirigé les charges vers l'extérieur. De plus, j'ai branché le multiplicateur de molécules au bateau pour le renforcer.

– Mais tout cet acier risque d'en annuler l'action, non ?

– Tu essaies toujours de trouver des difficultés là où il n'y en a pas, Douglas ! L'*Expédient* prendra la mer comme au jour de son baptême.

12. En français dans le texte. *(N.d.T.)*

LA RAMPE DE MISE À L'EAU INVENTÉE PAR CHAMBOIS

La houle de la tempête provoquée par le typhon avait à demi échoué l'Expédient sur la plage. En pleine époque des mortes-eaux, le capitaine avait été contraint d'attendre les marées plus importantes du printemps pour reprendre la mer. L'idée de Chambois fut de creuser la berge sous la poupe du navire afin de faciliter sa remise à flots. À cet effet, il utilisa des charges de cordite enfermées dans des tubes hermétiques, qui furent reliés à un détonateur électrique. Des plaques d'acier enfouies dans le sable devaient éloigner le souffle de l'explosion vers l'extérieur, loin du bateau. Le multiplicateur de molécules fut branché sur la poupe afin de renforcer et de protéger la coque.

L'Expédient à marée basse
Plan d'ensemble

La mer

La plage

Tranchée de sable à exploser par l'explosion

Vue du profil

La plage

Détonateur à installer dans la salle des machines

La plage

Les Chambois

(CLC 16/69)

Chambois travaillant à sa rampe de mise à l'eau. Cahier à dessins de Doug. (CDM 4/09)

La superstructure endommagée du bâtiment évoquait tout sauf un navire fraîchement sorti des chantiers navals, songea Doug.

– Soyons honnêtes, monsieur Chambois, il est à deux doigts à peine de la casse.

– N'importe quoi ! Un petit coup de peinture, quelques rafistolages çà et là, et ça fera l'affaire. Tu devrais te montrer plus loyal envers ton navire.

– J'ai croisé Sam l'Anguille il y a dix minutes, et il assure qu'il est impossible de réparer les paliers de l'hélice tribord. D'après lui, il faudrait une journée de travail supplémentaire, et encore, il n'est même pas sûr que ça servirait à quelque chose. Sans gouverne et avec une seule hélice, nous ne dépasserons pas l'autre côté de la baie.

– Bavardages et commérages ! J'ai parlé au capitaine, et il maintient que nous quitterons l'île ce soir.

Le garçon aida l'ingénieur à glisser des tas de tuyaux sous la coque. Par-devers lui cependant, il avait du mal à ne pas juger leur situation désespérée. Liberty avait sans doute raison depuis le début – leur seule façon de partir, c'était les airs. Soudain, il vit Becca arriver en courant de la tente de l'hydravion.

– Doug! Doug! le héla-t-elle, hors d'haleine. Je l'ai!

– Quoi donc?

– L'indice, haleta-t-elle. Le dernier indice! Je sais ce que chef signifie. Viens!

Doug interrogea du regard Chambois, qui le libéra d'un signe de tête.

Vu l'activité fébrile qui régnait à bord, il parvint à se faufiler dans le carré du capitaine pendant que sa sœur montait la garde. Il souleva le drap protégeant *Les Ambassadeurs*. Sortant son rapporteur, il mesura l'angle du crâne distordu, l'inscrivit sur un papier et détala.

SAM L'ANGUILLE

*La réputation de Sam comme l'un des meilleurs plongeurs et nageurs au monde pourrait être à l'origine de son étonnant sobriquet. Le journal de Becca propose cependant une autre explication : une rumeur courait sur l'*Expédient, *selon laquelle l'homme avait des liens de sang avec une famille de perceurs de coffres cockneys, connus pour se faufiler dans les chambres fortes des banques via les égouts de Londres.*

Plusieurs explosions résonnèrent du côté de la crête. Sur la plage, tout le monde se figea et leva les yeux. Un nuage de fumée se dispersa dans le vent léger. La Friture sortit en courant sur le pont de l'*Expédient* et héla le capitaine qui examinait les travaux de Chambois.

– J'ai le poste d'observation au téléphone, annonça-t-il en brandissant l'écouteur. Ils sont attaqués.

**Watts,
dit la Friture**

*La Friture était le radio
et le spécialiste en
électronique de l'Expédient.
C'était également
un mathématicien
et un cryptographe
exceptionnellement doué,
qui avait un jour disputé
et gagné cinq parties
d'échecs en même temps,
les yeux bandés.*

Un échange lointain de coups de feu confirma cette information.

– Ça devait arriver, maugréa le capitaine. Combien de Kalaxx?

– Quatre. Deux sont parvenus à s'échapper et filent vers leur campement.

– Dites-leur de se replier à la redoute aussi vite que possible. Prévenez la salle des machines qu'ils mettent en route les chaudières.

La Friture regagna la passerelle.

– Flûte! gémit Becca. On ne va pas pouvoir retourner sur la péninsule, maintenant.

– Pourquoi pas? objecta son cadet. Le bateau n'est pas près de partir. Il faut des heures pour que les chaudières chauffent.

Émergeant de la tente, Liberty intercepta le capitaine.

– Hé, 'pitaine! Que devient notre plan, maintenant? On n'arrivera jamais à passer.

– Il nous reste une petite chance. Ils n'ont peut-être pas remarqué le bateau, et la nuit tombe dans moins d'une heure.

– Donc?

– Nous conservons sans doute un avantage.

– Ceci n'est pas une partie de tennis, vous savez.

– L'avion est-il en état de voler?

– Autant que je peux m'y engager sans avoir testé le moteur.

– Je suis prêt à courir le risque si vous l'êtes également, mademoiselle.

– Je vous ai déjà dit que j'étais d'accord pour ramer jusqu'à Manille à bord de ce coucou s'il le fallait, riposta Liberty, piquée au vif. Il est exclu que je reste sur cette île, et je refuse de miser mon destin sur ce tas de ferraille, ajouta-t-elle en montrant l'*Expédient*.

– Départ dans une heure et demie ?

– Voilà une phrase qui me plaît, 'pitaine. Comptez sur moi.

Becca, elle aussi, apprécia les paroles de son oncle.

– Allons préparer ce dont nous aurons besoin, murmura-t-elle à son frère.

– Il ne faudrait pas avertir le capitaine ?

– Non. Ça ne le concerne pas, Doug. À nous de trouver un maximum de choses avant qu'il soit trop tard.

Chapitre Douze

Deux événements supplémentaires ont eu lieu, qui me laissent à penser que nous sommes plus que jamais menacés. D'abord, Lola a surgi sans crier gare dans le ciel et a effectué un arc de cercle en piqué. Pembleton-Crozier, aux commandes, est passé si bas que Doug et moi avons plongé sur le pont. Le rugissement du moteur était effroyable – autant que les injures braillées par Liberty en direction de l'avion. «Rendez-la-moi, espèce de sale voleur! hurlait-elle. Vous osez vous balader dans mon oiseau, pendant que je suis coincée à terre avec ce tas de ferraille de…»

Pembleton-Crozier survole l'île Australe à bord de Lola. *Cahier à dessins de Doug.* (CDM 4/13)

Lola *a effectué un deuxième cercle, beaucoup plus lentement, ce qui a permis à P-C d'observer nos positions. Puis, après nous avoir adressé un geste désinvolte, il a disparu. Je le déteste !*

Doug estime que P-C ne déclenchera pas l'attaque avant demain, à la lueur du jour, car l'Expédient donne vraiment l'impression d'être définitivement échoué.

Ensuite, une deuxième escarmouche s'est produite, à la redoute cette fois. Je n'y vois pas grand-chose, à travers mon hublot, puisque la nuit est presque tombée. Il y a eu des bruits de déflagration, des éclairs et beaucoup de cris. Tout est calme, à présent, mais je ne suis guère rassurée. D'après Doug, c'étaient les Kalaxx qui testaient notre ligne de défense.

Lui et moi allons assister au départ du capitaine et de Liberty. Si cette dernière remet la main sur Lola, nous ne la reverrons plus. Ma nouvelle cousine texane me manquera, et ses leçons de pilotage aussi.

Le bateau s'agite comme une ruche, ce qui nous a facilité la tâche, et nous avons réuni notre équipement pour notre escapade nocturne avec une surprenante aisance. Nous avons une corde, une lanterne et des bougies, un rapporteur et une ficelle sur laquelle Doug a reporté une distance de quarante pieds.

Il a réussi à se faufiler par la trappe des toilettes afin d'aller jeter un coup d'œil à l'avancement des choses dans la salle des machines. L'équipage continue de s'activer autour de l'arbre de l'hélice. Doug pense qu'ils vont y arriver. Presque tous les hommes sont en bas, et c'est tant mieux – ainsi, notre absence passera inaperçue.

– Et maintenant, cousins, écoutez-moi, dit Liberty dont le visage était caché par l'obscurité. Prenez soin de vous. Et toi, Doug, jette-moi ces chaussettes, pour l'amour du ciel.

Aucune fille n'acceptera jamais de t'embrasser si tu pues comme ça.

– Vous nous autorisez à vous écrire ? demanda Becca.

– C'est que je bouge tout le temps, tu sais.

– Vous devez quand même avoir une adresse, non ?

– Une adresse ? C'est le ciel que j'habite, cousine.

Elle planta ses lunettes d'aviatrice sur son front, puis ajouta :

– Becca, Doug, ça a été génial de vous rencontrer.

La dernière toile dissimulant le *Dragon Belliqueux* fut ôtée, et l'équipage entreprit de pousser l'hydravion à l'eau.

– Nous ramerons jusqu'au moment où la marée nous emportera autour du promontoire, annonça le capitaine en grimpant sur un des flotteurs. Vu le courant, ça ne va pas être aisé.

– Hé, qu'une chose soit bien claire, mon pote ! protesta Liberty en jetant une pagaie à l'oncle MacKenzie. Sur ce coup, c'est moi qui suis le 'pitaine, et c'est vous qui ramez.

– Monsieur Ives, la fusée destinée à créer une diversion sera lancée à une heure du matin. Débrouillez-vous pour que les charges de Chambois explosent en même temps. À vous de remettre le bateau à flot et de regagner la haute mer, aussi vite que l'autorisera Herr Schmidt, que je revienne ou non. Compris ?

– À vos ordres, capitaine !

– Maître Aa, arriverez-vous à vous infiltrer jusqu'à la crête pour expédier votre fusée ?

– J'ai confié la tâche à l'un de mes meilleurs hommes, capitaine. Il réussira.

– Ives ? Une fois le navire à l'eau, dirigez-vous à toute vapeur vers Manille. Douglas et Rebecca, vous obéirez à

M. Ives sans discuter. Bon, mademoiselle da Vine, nous sommes prêts ?

– Je n'attends plus que vous, mon vieux.

– Faites attention à vous, Liberty, recommanda Chambois en retenant l'aile de l'avion. J'ai ajouté un peu d'acétone à votre essence afin de renforcer votre puissance, mais soyez prudente – cet appareil n'a pas été conçu pour la course. Et si jamais vous passez par Paris, n'oubliez pas de… j'y serai.

L'Américaine escalada le flotteur et agita sa main bandée.

– À un de ces jours, Chambois.

Sous les yeux de l'équipage réuni, l'hydravion s'éloigna dans le noir. Remontant le col de leurs cabans, Becca et Doug s'éclipsèrent discrètement en direction de la péninsule.

Ils étaient sur le point d'entrer dans la grotte, lorsque Doug fut plaqué à terre.

– Bon sang de… Xu ?

– Non, Xi. Qu'est-ce que vous fichez ici ?

– T'occupe ! Dis-moi plutôt ce que *tu* fiches ici.

– Nous montons la garde, expliqua Xu. Tous nos frères et sœurs Sujing sont à la redoute. Nous surveillons une éventuelle approche des Kalaxx. Maître Aa pense qu'ils pourraient débarquer près d'ici pour investir la plage.

– Qu'est-ce qui se passera, dans ce cas ?

– Si le bateau est toujours échoué, Maître Aa a mis au point un plan de défense ici même. Sur le piton rocheux qui est là-haut. L'endroit sera beaucoup plus aisé à tenir, mais ça signifie…

– … d'abandonner l'*Expédient*, soupira Doug.

Il commençait à croire que personne mis à part le capitaine ne croyait plus que le navire reprendrait un jour la
mer. Brandissant sa lanterne, il se mit à fouiller les environs,
jusqu'à ce qu'il déniche un crâne sculpté sur le sommet
d'une pierre carrée, au-delà de l'entrée de la caverne. Elle
représentait une boussole, marquée des quatre points cardi-
naux. Trois cent soixante entailles le long de sa circonférence formaient un cercle précis.

– C'est sûrement le point de repère, annonça-t-il. Ils ont dû
l'aligner sur l'étoile polaire. Dans le coin, les boussoles ne fonctionnent pas. À cause de tout le zoridium présent, j'imagine.

– Qu'est-ce que vous faites ? s'enquit Xi, intrigué par le
comportement de ses amis.

– Nous avons découvert dans la grotte des indices laissés
par… un membre du Cercle, expliqua Becca en déroulant la
ficelle étalonnée par Doug. Vous voulez nous aider ?

– Pourquoi ne pas nous en avoir parlé avant ? protesta Xi.

Cahier à dessins de Doug. (CDM 4/17)

– Parce que nous n'avons compris le tout que cet après-midi.

– Je suis partant, lança Xu. C'est plus drôle que faire le guet. Toi, Xi, tu restes ici, des fois que Maître Aa mène une inspection.

– Pourquoi moi ? rétorqua son frère.

– Parce que tu es le prodige des Sujing Quantou. À toi l'honneur de défendre la péninsule, pendant que j'assiste Becca et Doug.

– Je reste avec toi, protesta Xi d'une voix tremblante.

– Tu as peur du noir ? se moqua Xu.

– Au moins, je n'ai pas le vertige, contrairement à toi…

– Arrêtez de vous disputer, s'interposa Becca en allumant une bougie qu'elle tendit à son cadet. Les réponses aux indices figurent sur le tableau *Les Ambassadeurs* de Holbein. Vous connaissez ?

Les jeunes Sujing acquiescèrent.

– La peinture symbolisant la fondation du Cercle, précisa Xu. Mais nous ne l'avons jamais regardée de très près.

Protégeant la flamme de la main, Becca leur lut les indices.

– « Un : l'ombre du Soleil portée sur le cadran par le compas donne le nombre de pieds. » Nous avons calculé, le résultat est dix. « Deux : multiplie-le par ses différentes faces pour obtenir la distance. » Ça donne quarante. « Trois : joins au nombre obtenu l'angle du chef pour définir le tracé. » Soit soixante-trois. « Pars de la pierre-repère qui gît dehors. Avec ces mesures, tu devrais trouver ce qui a été perdu. »

– Il nous faut des bâtons, Xu, enchaîna Doug. Un gros au milieu de la pierre, et un suffisamment fin pour tenir dans les entailles de la circonférence.

Le garçon se mit à compter soixante-trois encoches à partir du nord, secondé par Becca qui vérifiait qu'il ne se trompait pas.

– Ça ira, ça ? demanda Xu.

– Parfait.

Doug prit la plus épaisse des baguettes et l'enfonça dans le trou qui avait été creusé au centre du crâne. Becca planta la plus fine au niveau de la soixante-troisième entaille. Accroupi, son frère les relia par une cordelette.

– C'est comme établir les coordonnées d'une position en mer, murmura-t-il. Voilà la direction qu'il faut suivre.

Sa sœur noua l'extrémité de la ficelle étalonnée autour du bâton central et l'autre bout à la boucle de la ceinture de Doug.

– Avance, et je te guiderai, dit-elle. Un coup sec sur la corde, et tu vas à droite, deux, et tu vas à gauche.

– Compris. Quarante pieds en conservant un angle de soixante-trois degrés.

Il commença à marcher en direction de la mer, tandis que Xu et Xi écartaient les branches et les feuilles devant lui. La ficelle se raidit, et il s'arrêta. Becca lui indiqua d'aller sur la gauche avant de les rejoindre en courant.

– C'est ici !

Ils se mirent à fouiller le coin, mais il n'y avait rien d'inhabituel au sol. Ils creusèrent à la main. La couche de terre était fine, et ils tombèrent très vite sur de la roche.

– Il y a forcément quelque chose, gronda Doug, la voix lourde de déception.

– Rien que des cailloux, objecta Xu.

– Cherchons un peu, suggéra son jumeau. L'angle est peut-être faux ?

– Absolument pas ! s'indigna Becca.

Durant cinq minutes, ils crapahutèrent alentour, essayant de trouver quelque chose d'étrange ou d'extraordinaire. Il n'y avait rien.

– Réfléchissons! s'emporta Becca. Où nous sommes-nous trompés?

– La distance est obligatoirement juste. Il y avait quatre faces sur le cadran solaire. Quatre fois dix égale quarante pieds.

– Quel cadran solaire? voulut savoir Xu.

– Celui du tableau.

– Un cadran solaire à quatre côtés? Je n'ai jamais vu ça. Géométriquement parlant, c'est impossible. Décris-le-moi.

– C'est un drôle d'objet, se lança Doug. Comme deux cubes collés ensemble, sauf que deux des faces sont plus petites. Tiens, je vais te le dessiner.

Il traça quelques lignes sur le sol.

– Ce machin a dix côtés! gloussa Xi. Pas quatre.

– Mais oui! s'exclama Becca. Un décaèdre! Si le cadran était tridimensionnel, il aurait dix côtés, pas seulement les quatre que l'on voit sur la peinture. Dix fois dix égale cent. Nous somme trop courts de soixante pieds.

– Or vous n'avez que quarante pieds de corde, fit remarquer Xi.

– Ne bouge pas, Doug. Tu vas avancer de quarante pieds, puis nous plierons la ligne en deux, et tu feras vingt pieds de plus. Si Xu reste ici avec la bougie, je mettrai la lanterne sur la pierre, et il suffira d'aligner les deux lumières pour tomber juste. Je vais dénouer le filin.

Aussitôt dit, aussitôt fait. Xu s'assit par terre et brandit la chandelle au-dessus de sa tête, tel un phare, à l'endroit exact des quarante premiers pieds. Becca lui donna l'extrémité de la ficelle avant d'envoyer Doug en avant. Pour rester dans l'alignement de la lampe et de la bougie, il choisit de marcher à reculons. Une fois parvenu à quatre-vingts pieds, il tira sur la corde pour avertir les autres. Becca se précipita vers lui.

L'ÉNIGME RÉSOLUE

L'énigme de Duncan fut résolue grâce à une étude des *Ambassadeurs*.
1) Les premier et deuxième indices se référaient au cadran solaire avec compas intégré que l'on aperçoit sur la table (fig. a). Les ombres portées sur les quatre faces apparentes indiquent toutes les alentours de dix heures. Becca et Doug en firent la moyenne et obtinrent dix tout rond, ce qui leur donna la clé du premier indice.

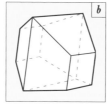

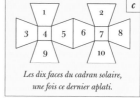

Les dix faces du cadran solaire, une fois ce dernier aplati.

2) Leur erreur fut de croire que le deuxième indice se référait au nombre de faces du cadran solaire visibles sur le tableau, à savoir quatre. Holbein avait en réalité dessiné un polyèdre (fig. b) ; ainsi que le souligna Xi, le cadran ne pouvait pas avoir quatre faces – Becca et Doug avaient négligé de comptabiliser les six autres, invisibles sur la peinture, ce qu'il aurait fallu faire pour obtenir un objet en trois dimensions (fig. c). Ces six faces « invisibles » ajoutées aux quatre apparentes donnaient la solution du deuxième indice, à savoir dix. En multipliant les résultats des deux premiers indices, ils obtinrent la réponse : 100 (10 x 10).

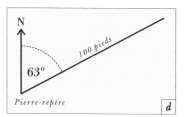

3) Le troisième indice renvoyait à l'angle selon lequel est distordu le crâne dessiné au premier plan du tableau. Une mesure effectuée le long de ses mâchoires donne un angle de 63 degrés par rapport à un axe perpendiculaire (orienté au nord), et par conséquent la solution du dernier indice.

– Plus qu'une moitié de ligne.

Xi se chargea de tenir celle-ci au deuxième repère, et Doug repartit sans jamais dévier. Il n'était qu'à quelques pas des cent pieds, lorsqu'un monticule couvert d'épaisses broussailles stoppa sa course. Malgré les plantes qui le recouvraient, l'endroit paraissait artificiel. Le garçon détacha la corde.

– Ce que nous cherchons se trouve au milieu de ces fourrés, décréta-t-il.

Écartant une branche, Becca escalada la butte.

– Ça doit être dessous, réfléchit-elle.

Les lueurs de la lanterne et de la chandelle annoncèrent l'arrivée des jumeaux Sujing. Tout le monde entreprit de creuser avec empressement. Ici, la terre était meuble et facile à remuer.

– Il doit y avoir quelque chose, insista Becca en arrachant des racines emmêlées.

Pendant quelques instants encore, ils s'acharnèrent à défricher le terrain. Soudain, l'aînée des MacKenzie effleura une surface lisse et métallique solidement enfoncée dans le sol.

– Passez-moi la lampe ! ordonna-t-elle.

Elle hoqueta de surprise en découvrant le pan d'une sculpture en bronze.

– C'est impossible ! murmura Xi.

– Qu'est-ce qui est impossible ? s'étonna Doug.

Leurs fouilles prirent une tournure frénétique et, cinq minutes plus tard, une merveilleuse tête d'animal émergea sous la lueur du fanal. Xi se tourna vers son frère, puis vers ses amis tout en promenant sa bougie le long de leur découverte.

– Un bélier aux cornes recourbées, chuchota-t-il.

– Le symbole des Sujing Quantou ! s'écria Becca.

Xu et Doug galopèrent jusqu'à la grotte et revinrent avec de vieux outils de Duncan, grâce auxquels ils progressèrent rapidement, d'autant qu'ils redoublaient d'efforts, surexcités. La bête était d'une beauté féroce, ses yeux paraissaient menaçants. Becca s'attendait à voir apparaître le corps de l'animal, mais plus ils creusaient, plus il devint évident que la tête surmontait un cou démesurément long.

– Ton indice mentionnait de quoi il s'agissait ? demanda Xi qui se débattait avec l'antédiluvienne pelle en bois de Duncan. Pourquoi cette sculpture est-elle enterrée ici ?

– Aucune idée. Je n'en sais pas plus que toi.

Au fur et à mesure qu'ils fouillaient la terre, l'énigme se faisait plus trouble. Au bout d'un mètre environ, ils heurtèrent une strate rocheuse. Le cou cependant continuait de s'enfoncer, comme pris dans l'étau de la pierre.

La sculpture de la tête de bélier. Cahier à dessins de Doug. (CDM 4/20)

– Ce terrain doit dater de plusieurs millions d'années, marmonna Doug. C'est incompréhensible.

– Hé ! lança Becca qui s'activait de l'autre côté de la tête de bélier. Il y a du bois, ici, une sorte de planche.

Les garçons la rejoignirent et l'aidèrent à mettre à nu une petite trappe dans laquelle quelqu'un avait gravé la date 1533. Une fois soulevée, elle révéla un étroit tunnel qui plongeait dans la roche.

– Noue la corde autour de la statue, ordonna Doug à Xi.

Il se pencha au-dessus de l'ouverture et y promena la lanterne. Des entailles profondes avaient été creusées dans ce qui ressemblait à un puits de mine. Becca lui passa la ligne enroulée sur elle-même.

– Tiens ! Sois prudent.

Son frère entreprit de descendre.

– Fastoche ! annonça-t-il en accélérant.

– Hé, attends-moi ! protesta Becca en le suivant, le cœur battant.

– Nous devons retourner à notre poste, annonça Xi. Nous l'avons déserté depuis trop longtemps.

– Entendu. Revenez nous chercher si nous ne vous avons pas rejoints d'ici un quart d'heure.

CHAPITRE TREIZE

L'étroit tunnel tombait à la verticale pendant environ trois mètres avant de tourner abruptement et de se transformer en une pente douce égale, sur laquelle Doug s'aperçut qu'il pouvait désormais marcher, au lieu de ramper. À partir de là, il perdit de vue le cou en bronze, qui continuait probablement sa course dans la roche. Guidés par la lueur de la lanterne, les jeunes MacKenzie s'enfoncèrent dans l'obscurité et l'air humide aux relents de moisi, d'autant plus perceptibles en comparaison de l'atmosphère fraîche et parfumée de la nuit. Le tunnel suivait une courbe inclinée et, au bout d'une dizaine de mètres, les strates rocheuses laissèrent soudain place à une terre beaucoup plus meuble.

– Attention ! lança Doug après avoir dérapé.

Il bifurqua dans un coude que formait le conduit, et sa sœur se retrouva un instant plongée dans le noir. La déclivité s'amoindrit, et ils pénétrèrent dans une immense grotte creusée de la main de l'homme – les marques des outils étaient encore visibles sur la boue tendre des parois. La lampe éclaira les ténèbres : ils étaient à l'entrée d'une longue caverne. Des formes émergèrent peu à peu de l'ombre.

– Qu'est-ce que c'est que ce truc ? demanda Becca qui avait avancé d'un pas.

– On dirait une espèce de forteresse souterraine.

– Tu penses que des gens ont vécu ici ?

Doug distingua devant lui ce qui se révéla être un mur en bois relativement conséquent. Par un trou, le garçon constata que cette façade était soutenue par une charpente. Brandissant la lanterne au-dessus de sa tête, il découvrit des peintures.

– Une minute… murmura-t-il, interloqué. Attends, Becca, ajouta-t-il la seconde d'après. Regarde ! C'est un navire ! Je crois que nous avons trouvé le vaisseau antique !

– Tu es sûr ?

– C'est… une trirème.

– Oh ! Je m'attendais à quelque chose de plus… qui ressemble plus à un bateau.

Examinant plus attentivement la structure, la jeune fille constata qu'ils se tenaient au niveau de l'étrave, et que la poupe les dominait de toute sa hauteur.

– Elle était propulsée par des centaines de rameurs, s'extasia son frère. Tiens ! Il y a même un bélier fixé à l'avant pour empaler les navires ennemis. Mortel !

Doug déplaça le fanal en direction de l'arrière, et la silhouette du bâtiment émergea de l'obscurité. La trirème se décomposait lentement dans la grotte boueuse, cernée par des centaines d'avirons brisés éparpillés sur le sol ; le spectacle évoquait la cage thoracique écrasée de quelque dinosaure fossilisé. Tressaillant, Becca remarqua que les rameurs étaient toujours à leurs postes : leurs os gisaient là où le destin les avait surpris. Des mains serraient encore les rames en un geste qui figeait l'heure de la mort dans l'éternité. La jeune fille recula, mal à l'aise, peu encline à déranger la sérénité de cet ossuaire.

– Ne t'occupe pas d'eux, la rassura Doug en orientant le faisceau de sa lampe çà et là. Ils ont cessé de lutter depuis longtemps. Par ici ! Ce vaisseau est énorme, ajouta-t-il en sifflant entre ses dents.

Bien que cassée en deux du côté de la poupe, la coque était remarquablement conservée.

– Comment a-t-elle pu se retrouver ici ? se demanda
Becca. Il est impensable qu'elle ait réussi à percer la roche
qui est au-dessus de nous.

– N'oublie pas que l'archipel est volcanique. Le bateau a
sûrement été enseveli sous un glissement de terrain, puis la
lave d'une éruption a recouvert la boue. Regarde, on voit
que les avirons ont brûlé là où ils touchaient la pierre. La
tête de bélier sculptée est la figure de proue, montée sur une
grande perche de bronze ; elle a surnagé au désastre.
Lorsqu'il l'a découverte, Duncan a juste creusé un tunnel
pour en déceler l'origine. Une fois la roche percée, déblayer
n'a pas dû être très difficile.

Ils empruntèrent un petit sentier aménagé le long de la
coque. Un trou percé sur son côté leur permit d'entrer
dedans. L'énorme œil peint à la proue les fixa, peu amène.
Doug donna un coup dans l'une des planches, histoire de
vérifier sa solidité.

– Le bois n'a pas complètement pourri. Cette échelle
mène au pont. Tu t'imagines, Becca ? Nous sommes les
premiers depuis deux cents ans à voir ça.

Ils grimpèrent, très prudemment, testant chaque échelon
avant d'y mettre le pied.

– J'ai l'impression que ces îles ne portent pas chance aux
bateaux, marmonna Becca. D'abord cette trirème enterrée, puis
le navire de Duncan auquel il est forcément arrivé quelque
chose, et maintenant l'*Expédient*, quasiment naufragé par un
typhon.

– Pour commencer, j'aimerais comprendre pourquoi ce
vaisseau s'est retrouvé ici, s'interrogea Doug.

La voix de Xu retentit dans le noir, faisant sursauter les
MacKenzie.

– Il appartenait à nos frères perdus, au chapitre méridional.

– C'est toi, Xu? Qu'est-ce que tu racontes? Les Sujing Quantou qui ont disparu? Mortel!

– Les guerriers ayant vogué sur cette trirème étaient des Grecs qui avaient combattu au côté d'Iskander le Grand en personne. Nos frères, oui, mais jamais connus sous le nom de Sujing Quantou. Vous avez retrouvé les prodromoi[13] de l'Antiquité. Comme tu dis, Doug, *mortel*!

Xu escalada la coque et rejoignit ses amis sur le pont. Son ton était empreint de respect et de crainte.

– Ce bateau a cinglé de l'Indus jusqu'ici. Vous vous rendez compte? Un navire de la flotte d'Alexandre le Grand!

– Où allaient-ils? Pourquoi se sont-ils dirigés aussi loin en Asie?

– Nos traditions Sujing racontent que leur quart des *99 Éléments* narrait en détail l'existence des mines temblas de Fille du Soleil, et qu'ils se sont lancés dans leur quête après avoir déserté les armées d'Alexandre sur les rives de l'Hyphase. D'une façon ou d'une autre, Pembleton-Crozier a déniché ces îles lui aussi.

– Tu penses qu'il cherche la trirème?

– Juste comme une cerise sur le gâteau. La Fille du Soleil a infiniment plus de valeur. Je me demande quand même comment il s'y est pris pour retrouver cet endroit. Vous, ce sont les indices du Cercle qui vous ont mis sur la voie?

– Oui, mais ils étaient cachés dans la petite grotte. D'après nous, c'est Duncan MacKenzie qui les y a abandonnés.

– Doocarn? s'étonna Xu en se grattant la tête. Pas surprenant qu'il ait disparu. Il a sans doute découvert la localisation des mines quand il était dans le Xinjiang, est venu ici pour s'en assurer et est tombé sur la trirème par la même occasion.

---

13. La section des élites combattantes d'Alexandre, les gardiens du gyrolabe du sud.

Les prodromoi du sud et lui voulaient la même chose, les
mines temblas, mais à deux mille ans d'intervalle. Les indices
qu'il a laissés étaient destinés aux membres du Cercle, or ces
derniers ne s'intéressent qu'à deux choses bien précises.

– Le gyrolabe du sud et le quart manquant des *99 Éléments*!
devina Becca.

– Vous avez mis la main dessus? demanda Xu, les yeux
brillants.

– Ils doivent être par là, répondit Doug en désignant l'arrière du vaisseau.

– Qu'en sais-tu?

– Un bateau reste un bateau, quel que soit son âge. Les
objets importants sont toujours conservés dans la cabine du
capitaine, et celle-ci est toujours située à la poupe.

Le fanal illumina un coffre en bois rouge d'un mètre carré
environ, fixé entre les grosses poutres de la coque. Les
enfants se dévisagèrent, enthousiastes.

– Qui l'ouvre? lança Becca.

– À toi l'honneur, Doug, s'empressa de répondre Xu
d'une voix nerveuse. C'est toi qui es entré ici le premier.

Hochant la tête, le garçon tendit la lanterne à sa sœur. Avec
toute la déférence dont il était capable, il fit jouer le lourd
verrou de bronze et souleva le couvercle. Les autres se rapprochèrent. La malle regorgeait d'articles hétéroclites qu'ils
eurent d'abord un peu de mal à distinguer dans la pénombre.
Le plus imposant était une autre grande boîte carrée, décorée
d'incrustations géométriques complexes en or et en argent,
et dotée de robustes poignées en bronze sur les côtés. Le

couvercle en était également fermé par un loquet que Doug tira. À l'intérieur du second coffret reposait un dôme sphérique noir, entrecroisé de lignes méridiennes dorées. Xu s'en empara avec précaution. Il s'agissait d'un globe céleste, identique à celui représenté sur le tableau des *Ambassadeurs* et à celui entrevu à bord du sous-marin de Borelli.

– On nous a appris comment les séparer en deux, marmonna Xu, qui effleura un bouton aménagé dans la ligne de l'équateur.

Comme par magie, la sphère armillaire se déploya.

Il était là.

Le gyrolabe du sud, celui qui avait disparu depuis plus de deux millénaires, reposait sur un délicat piédestal. Sous le faisceau de la lampe, il étincelait aussi violemment qu'au jour de sa création. Xu le passa doucement à Doug : il était lourd, et le garçon se demanda s'il était chargé de Fille du Soleil. Il n'en croyait pas ses yeux. Ils avaient découvert un objet d'une rare ancienneté, que d'autres avaient traqué sur tous les continents durant des siècles.

– Il est magnifique, chuchota Becca, hypnotisée.

– Regardez ! s'écria Xu. Il y a d'autres choses, là-dedans.

L'aînée des MacKenzie reporta son attention sur le contenu du coffre. Y étaient couchés deux manuscrits. Elle prit le premier, un vieux volume relié en cuir, l'ouvrit et en lut le titre, calligraphié en première page.

– Le livre de bord du *Poisson Volant*, daté de 1721, annonça-t-elle. Sans doute le bateau de Duncan.

– Il l'aurait entreposé ici pour le préserver ? suggéra son frère.

Le deuxième recueil était relié de manière totalement différente. Xu le souleva.

– Celui-ci est chinois, dit-il. Approche la lanterne, Doug.

Du mandarin, ajouta-t-il après l'avoir feuilleté. Rédigé par un scribe Ha-Mi.

Il parcourut les premières lignes, puis s'interrompit, surpris.

– C'est une traduction des hiéroglyphes inscrits sur les murs de la cité d'Ur-Can, s'exclama-t-il. Ainsi, elle existe vraiment. Ça parle aussi des mines temblas, et l'emplacement de l'archipel est précisé. Ce sont sûrement ces pages qui ont guidé Dooncarn ici.

Donnant le livre à Becca, le jeune Sujing éclaira le fond de la caisse.

– Becca! Doug! cria-t-il. Les chapitres manquants des *99 Éléments*! Ils sont aussi là!

Il se saisit d'un modeste coffret qui ne payait pas de mine, déformé par le temps. Le couvercle était estampillé de deux cercles, l'antique symbole de l'Indus représentant le sud.

– Le dernier quart des *99 Éléments*, murmura-t-il sur un ton empli de vénération. Les chapitres disparus des Temblas. Nous avons une boîte pareille à Shanghai. Elle est sacrée.

– Vas-y, ouvre-le! le pressa Doug, impatient de voir ce qui revêtait tant d'importance pour bien des gens.

Xu hésita un long moment avant de soulever le couvercle avec force précautions. Apparut une liasse de fines lamelles de bois toutes gravées de minuscules hiéroglyphes en colonnes. La simplicité apparente d'un texte aussi puissant désarçonna les MacKenzie. Soudain, leur ami referma sèchement le coffret, affolé.

– Nous n'avons pas le droit de les voir! Seul Maître Aa…

Tout à coup, le sol trembla. Un sifflement inhumain ébranla les poutres de la trirème. Il alla crescendo, se transformant peu à peu en tapage assourdissant aux échos mécaniques, rythmé par des bruits de métal raclant contre les rochers, jusqu'à ce que les lames chauffées à blanc d'une tête foreuse fracassent la paroi située à l'entrée de la caverne. Doug identifia l'avant d'un tunnelier, qui s'arrêta en rugissant à côté de la figure de proue du vaisseau, les prenant au piège.

– Nous sommes coincés! hurla-t-il.

Un tourbillon de pierres envahit l'espace tandis que les monstrueuses dents en acier ralentissaient. La surface de la machine était si brûlante que la roche fondit à son contact et que la vapeur émanant de la terre bouillante inonda la grotte. Une trouble lumière ambrée filtrait à travers les hublots latéraux de l'engin couvert de débris boueux.

Sans quitter des yeux le mince espace qui séparait la tête foreuse du tunnel, Xu prit la boîte contenant les 99 *Éléments* d'une main, et la transcription des murs d'Ur-Can par les Ha-Mi de l'autre.

– Je dois absolument remonter pour avertir Maître Aa, s'exclama-t-il.

– Mais tu n'arriveras jamais à dépasser ce… mastodonte! se récria Doug.

– *Sujing Cha*! brailla Xu en détalant.

Il sauta dans le ventre du bateau et fonça jusqu'à l'œil qui était peint sur la proue. Émergeant de la coque, il continua sa course, luttant pour ne pas lâcher ses trésors, dérapant dans la boue, se baissant pour éviter d'être frappé par les éclats de roche qui tournoyaient encore en l'air. Il n'y avait qu'une fente étroite entre les dents du tunnelier et le sol de la caverne. Xu stoppa net, se laissa tomber sur le dos et se tortilla sous les dents de l'horrible engin, exposant son visage à quelques centimètres seulement des crocs avides et brûlants. Pourtant, il se faufila de l'autre côté, bondit sur ses pieds et se précipita vers le puits qui menait à la surface.

Le tunnelier perce la roche. Cahier à dessins de Doug. (CDM 4/29)

Doug enfouit le gyrolabe dans sa poche, cependant que sa sœur essayait de cacher le livre de bord du *Poisson Volant* sous son caban. Eux aussi dégringolèrent du pont de la trirème. Ils contemplèrent l'espace ridiculement petit où s'était engouffré Xu, s'interrogèrent du regard.

– On peut le faire ! hurla Doug.

Mais, à cet instant, le redoutable tunnelier alluma ses projecteurs, aveuglant les enfants. Une porte coulissante se déclencha en cliquetant, et une silhouette apparut dans l'encadrement, revêtue d'un abominable masque métallique équipé d'un respirateur. Du pied, elle déroula une échelle avant d'allumer une torche industrielle et de retirer son casque.

C'était Julius Pembleton-Crozier.

Il braqua le faisceau lumineux de sa lampe sur la trirème… puis sur Becca et Doug.

– Tiens, tiens, qui voilà ! ricana-t-il. Vous deux êtes aussi opiniâtres que vos maudits parents. Et tout aussi utiles, peut-être, ajouta-t-il après un coup d'œil au vaisseau grec.

Derrière lui, six mineurs kalaxx descendirent de la foreuse. En quelques enjambées, Pembleton-Crozier fut sur Doug et l'attrapa par le collet, son sourire faux se transformant en rictus.

– Vous avez eu la chance d'échapper à l'île de Wenzi, jeunes MacKenzie, mais j'ai des nouvelles vous concernant : votre crédit chance est épuisé.

Il repoussa le garçon à demi étranglé dans la boue. Le gyrolabe s'échappa de sa poche et atterrit dans la vase, où il se mit à luire tel un bijou ancien sous l'éclat des projecteurs. L'ancien membre du Cercle le ramassa et l'examina jusqu'au moment où il découvrit le symbole de l'Indus sur le sommet.

– Enfin ! s'extasia-t-il. Le voici enfin ! Le gyrolabe égaré ! Après trois cents années d'échecs et de déceptions, rassembler ces appareils semble ne plus être un souci du tout.

Il se tourna vers Becca, la toisa avec hostilité.

– Toi, donne-moi ça !

Il lui arracha le livre de bord des mains et le feuilleta. Visiblement, ce n'était pas ce qu'il voulait, car son visage se ferma.

– Vous cherchez quelque chose ? s'enquit Doug, railleur.

– Les chapitres perdus. Où sont-ils ? Ils étaient forcément avec le gyrolabe.

– Entre les mains du capitaine MacKenzie, à l'heure qu'il est, répondit Becca en souriant. Vous êtes arrivé trop tard.

– Vraiment ? riposta l'autre en refermant sèchement le volume. Fitzroy n'ira nulle part. L'*Expédient* est une épave.

Nous l'avons encerclé. Mais tu as raison, il est trop tard.
Pour le Cercle.

Émergeant du puits, Xu retrouva son frère près de la tête de
bélier.

– Où sont les autres ?

– Un tunnelier nous a coupé la route. Je me suis sauvé,
mais Becca et Doug ne m'ont pas suivi. Je suis retourné sur
mes pas, et j'ai entendu la voix de Pembleton-Crozier. Il les
tient, j'en suis sûr. Nous avons découvert le vaisseau
antique, Xi. Mais il y a plein de Kalaxx, en bas.

– Ils grouillent de partout comme des cafards, rétorqua
son frère. Soixante-dix ont débarqué sur la péninsule à bord
de bateaux à moteur. Je les ai comptés quand ils ont mis
pied à terre. Il faut prévenir le navire et la redoute.

– Et les MacKenzie ?

– Trop tard. Si nous attendons ici, nous serons pris, nous
aussi. Ça ne servirait à rien.

En silence, ils mirent cap sur l'*Expédient*. Xu fut le premier
à apercevoir les deux éclaireurs kalaxx qui bloquaient le
sentier, un peu plus loin. Les jumeaux escaladèrent le piton
rocheux, espérant dénicher un autre chemin pour regagner
la plage en sablier.

– *Cha* ! murmura quelqu'un, tout près.

C'étaient Maître Aa et Ba'd Ak.

– Pourquoi avez-vous quitté votre poste ? Nous vous cher-
chions. Vous devez regagner l'*Expédient*. Ba'd Ak montera la
garde ici.

– Mais les Kalaxx sont déjà là, Maître Aa, et ils surveillent les parages. En plus, nous avons trouvé quelque chose.

Xu tendit le coffret de bois à son supérieur.

– Qu'est-ce que c'est ? s'enquit ce dernier.

– Je crois qu'il s'agit des chapitres perdus des *99 Éléments*, Maître. Becca et Doug sont tombés sur la trirème grecque.

Maître Aa s'empara de la boîte et l'examina minutieusement.

– Serait-ce possible ? murmura-t-il en promenant son doigt sur le symbole gravé. Enfin…

– P-C a capturé les MacKenzie et le gyrolabe du sud, poursuivit Xu. Nous avons aussi mis la main sur la traduction Ha-Mi des…

Un geste de Ba'd Ak le fit taire. La jungle alentour avait frémi. Les Sujing se plaquèrent au sol et regardèrent passer vingt Kalaxx.

– Nous ne pouvons prendre le risque de les laisser s'emparer des *99 Éléments*, souffla Maître Aa une fois tout danger écarté. Et nous n'arriverons jamais à franchir les lignes ennemies. Au piton ! Nous nous y cacherons.

– Mais l'*Expédient* ? protesta Xi.

– Je ne t'ai donc rien appris ? s'emporta son supérieur sans pour autant élever la voix. La possession des *99 Éléments* surpasse les autres missions. Ces écrits ont disparu pendant plus de deux mille ans. L'importance des secrets qu'ils recèlent est incommensurable, comme le sera l'honneur qui rejaillira sur notre ordre pour les avoir retrouvés. La protection de ce coffret dépasse le traité de Khotan et mon accord avec le capitaine MacKenzie.

– Mais cela signifie livrer nos amis aux Kalaxx et à la mort ! s'insurgea Xu.

– Non. Le capitaine est un homme plein de ressources. Il se débrouillera pour faire échec à ses ennemis sans nous.

LE QUART SUD DES *99 ÉLÉMENTS*

Ces clichés montrent le modeste coffret qui abritait le quart des 99 Éléments confié aux prodromoi du sud. Ci-dessous, détail de la gravure ornant le couvercle : le symbole de l'Indus pour le sud.

Sur ce, les quatre guerriers s'éloignèrent en rampant. Quelques minutes plus tard, ils se réfugiaient sur la face nord du piton, dans un trou ménagé entre deux rochers, qui offrait une bonne vue sur la plage et l'*Expédient*. De temps en temps, un fusil crachait du côté de la redoute, déchirant le calme de la nuit. Xu et Xi étaient partagés par un dilemme – il était troublant de monter la garde auprès d'une antiquité, cependant qu'une bataille sanglante s'apprêtait à se dérouler sous leurs yeux impuissants.

CHAPITRE QUATORZE

La foreuse, songea Doug tandis qu'on l'entraînait dans la salle de contrôle, aurait mérité une inspection plus poussée et, si Pembleton-Crozier ne l'avait pas tenu par la peau du cou, il aurait pris plaisir à lambiner dans le coin, histoire de comprendre un peu comment les choses fonctionnaient. Il avait sous les yeux une machine fort complexe, et il se rendit tout de suite compte que le multiplicateur de molécules inventé par Chambois était au cœur de son fonctionnement. Se rappelant que l'appareil du Français était capable de renforcer vingt-cinq fois l'acier, il se livra à quelques rapides calculs. Pas étonnant que cet engin soit à même de couper la roche comme du beurre.

On les fit avancer le long d'une coursive étroite et oppressante, bordée de tuyaux et de fils, puis ils atteignirent une porte basse en acier, étanche. Pembleton-Crozier l'ouvrit et les poussa dans le tunnel, à l'arrière de la foreuse. Une touffeur accablante y régnait. Les parois du conduit avaient été taillées si rapidement et sous l'effet d'une telle chaleur que la roche avait fondu.

– Du verre, murmura Becca en regardant autour d'elle.

– Les forces centrifuges générées par la machine compressent la pierre creusée si vite et si fort qu'elle en devient étanche, expliqua le traître avec un sourire suffisant. Nous ajoutons du silice pour former un revêtement vitrifié lorsque nous traversons un sol meuble, telle la boue. Cette merveille peut forer seize kilomètres de tunnel en une heure.

Becca sentait la brûlure de la surface lisse du conduit à travers ses bottes de marin. L'air empestait tellement qu'elle faillit vomir. Crozier appuya sur un bouton, et un compartiment aménagé à l'arrière du tunnelier dévoila une moto et une remorque. Il descendit la machine sur le sol et l'enfourcha.

– Ne bougez pas d'ici ! lança-t-il au Kalaxx responsable des opérations en démarrant la moto au pied. Vous deux, les mômes, grimpez là-dessus.

Becca et Doug étaient à peine installés derrière Pembleton-Crozier que celui-ci lâcha l'embrayage et accéléra. Les pneus cloutés mordirent le revêtement du tunnel, et ils filèrent à fond de train, se penchant dangereusement dans les virages, de plus en plus vite, jusqu'à ce que Doug voie sur le compteur qu'ils roulaient à quatre-vingts kilomètres-heure. Quelques terrifiantes minutes plus tard, leur chauffeur freina brutalement à hauteur d'un croisement où se rejoignaient plusieurs galeries identiques à celle d'où eux-mêmes venaient. Le moteur rugit, puis l'engin s'arrêta en hurlant à un poste de garde. Sautant à terre, Pembleton-Crozier attrapa un téléphone de campagne et en tourna la manivelle.

– Maître Kouïbychev ? Ici Julius. Continuez l'offensive… Dites à vos troupes que la récompense pour la prise de l'*Expédient* et la capture de son capitaine s'élève à un demi-million de dollars. Passez le mot aux autres tunneliers, et envoyez tout le monde là-bas… Qu'ils creusent jusqu'à cette fichue coquille de noix si besoin est… Déclenchez immédiatement la bataille en surface. Vous avez des mitrailleuses et de la dynamite, servez-vous-en !

Il raccrocha violemment l'écouteur et bondit de nouveau en selle.

– Vous deux pouvez encore me servir.

La course folle, étourdissante et comme infinie à travers les sombres tunnels sous-marins se poursuivit, puis la moto entama sa montée avant d'émerger en plein territoire de la mine des Kalaxx. Pembleton-Crozier emmena de force ses prisonniers dans un salon de sa villa, laquelle paraissait curieusement déplacée au milieu de la friche industrielle qu'était devenue l'île de la Soufrière.

– Retournez vos poches ! ordonna le traître en tapant du doigt sur une table. Et dépêchez-vous, nous n'avons pas toute la nuit.

On frappa trois coups secs à la porte, puis Charlie l'Aristo apparut, mains liées, suivi par Borelli et trois Kalaxx.

– Dieu du ciel, Charles ! s'exclama Pembleton-Crozier en se servant un verre d'eau. Il me semblait bien t'avoir reconnu sur l'île de Wenzi, mais c'était une telle pétaudière que je n'en étais pas sûr.

– J-J-Julius. Mon Dieu ! Becca ! Doug ! Vous aussi ?

– Oui, joins-toi donc à notre petite fête, ricana l'Anglais en tirant une chaise sur laquelle il poussa Charlie. Où l'avez-vous trouvé ? demanda-t-il ensuite aux sbires.

– Il errait au nord de l'île, expliqua un des Kalaxx avec un fort accent russe. Il prétend avoir vogué depuis Mindanao.

– Voyons, Charles, ce n'est pas bien de mentir.

– J-je t'en p-prie, arrête ça, Julius, le supplia le jeune homme. Je suis v-venu ici p-p-pour te p-p-parler. Il f-faut que tu te rendes au Cercle.

– Me rendre ? s'esclaffa l'autre. Quelle drôle d'idée !

– Il est un peu tard pour ça, fit remarquer Borelli, moqueur.

Crozier entreprit d'examiner les objets qu'avaient contenus les poches des MacKenzie. Son attention se fixa sur le message codé. Quand il s'en empara, Becca se figea.

– Tiens, tiens, tiens.

– J'ai vu ce que tu fais ici, J-Julius. Je te s-somme de tout arrêter. Ma t-traduction des références au vortex gravitationnel n'était pas d-d-destinée à équiper un générateur au zoridium. Il y a t-trente ans, l'appareil a c-carrément fracturé l'écorce terrestre, n-n-nom d'un chien! Les risques de catastrophe sont...

– Oh, ferme-la, espèce de crétin bégayeur, le rembarra Pembleton-Crozier en sortant plusieurs livres de déchiffrement d'un tiroir afin de décrypter le message codé envoyé par la mère des enfants.

– B-B-Borelli! Vous êtes m-membre du Directoire! insista Charlie. Vous avez j-juré de p-protéger ces textes. Vous avez t-t-trahi des centaines d'années de tradition...

– La tradition! s'offusqua l'Italien. Parlons-en de cette tradition qui étouffe une science de cette importance! Nous pourrions changer la planète, avec ces mécaniques. Nous pourrions nous enrichir, tous, au lieu de ramper à quatre pattes en effectuant des missions secrètes pour le premier gouvernement qui accepte de payer. Le Cercle s'est transformé en un ramassis de mercenaires afin d'équilibrer ses comptes et il s'entête dans son dévouement ridicule à un mystère archaïque.

– Mais ces technologies sont capables de détruire la terre entière! C'est ce contre quoi les 99 *Éléments* nous mettent en garde. Notre civilisation n'est pas suffisamment avancée pour utiliser ces connaissances avec sagesse.

Le bégaiement de Charlie avait disparu au fur et à mesure que la rage empourprait son visage.

– Balivernes! L'heure est venue, au contraire. La civilisation est à son apogée. Nous avons des trains à vapeur qui atteignent presque cent cinquante kilomètres-heure, nous avons des tramways électriques, des aéroplanes et des automobiles. Que voulez-vous de mieux?

– Vous oubliez l'histoire, Borelli.

– L'histoire? Quelle histoire?

– Il y a quatre ans, j'étais en France, dans une tranchée puante de la Somme, prêt à me jeter à l'assaut des dernières inventions des hommes – les mitrailleuses, les gaz asphyxiants, les bombes, les chars... L'humanité est toujours aussi barbare, Borelli, et encline à la cruauté. Ses découvertes sont le plus souvent suspectes, et elle se fiche comme d'une guigne de la planète.

– Quel pessimisme! intervint Pembleton-Crozier. Tu n'arrêteras pas le progrès, mon vieux Charles. Et il ne sert à rien d'ignorer ce qu'il conçoit. Le futur est déjà là. C'est lui qui permet d'allumer cette fichue ampoule électrique.

LA GRANDE GUERRE ET LA BATAILLE DE LA SOMME

Plus connue aujourd'hui sous le nom de Première Guerre mondiale (1914-1918), la Grande Guerre fut un conflit d'une ampleur encore jamais vue. Elle se déroula pour l'essentiel en Europe. La bataille de la Somme (1916) est devenue synonyme de massacre inutile: elle dura presque cinq mois, et 420 000 Britanniques, 200 000 Français et plus de 600 000 Allemands y périrent ou y furent blessés.

Allumant un cigare, il entreprit de relire le message qu'il avait, apparemment, fini de décoder.

– Ainsi, vos parents cherchaient Ur-Can, reprit-il en recrachant un nuage de fumée. Que sais-tu d'Ur-Can, Rebecca?

– Rien.

– Je ne te crois pas. Tu as prêté serment au Cercle, hein? L'honneur, le devoir ou la mort?

– Je n'en fais pas partie, se défendit la jeune fille d'une voix sèche. Et je n'y entrerai pas tant que je n'aurai pas revu mes parents.

– Es-tu sûre que cela arrivera ? Es-tu certaine qu'ils ne sont pas… morts ?

– Écoutez, nous n'avons aucune idée de ce qu'est Ur-Can, lança Doug.

– Si vous m'avouez ce que vous savez, vous aurez le droit de lire ce mot. Sinon…

De son cigare, Pembleton-Crozier frôla la feuille de papier jusqu'à ce que celle-ci commence à se recroqueviller et à brunir. Becca ne résista pas longtemps.

– D'accord ! s'écria-t-elle. Nous en avons entendu parler, c'est tout. Mais si vous essayez de comprendre ce que nos parents fabriquent dans le Xinjiang, autant rejoindre la queue de tous ceux qui se posent la même question.

– Diable ! s'exclama Pembleton-Crozier avec un rire sans joie. Ce que tu peux ressembler à ta mère quand tu es fâchée ! Et l'appareil déclenché par les gyrolabes ? Fitzroy vous a-t-il également mis au courant ?

Il rapprocha encore son cigare. La page fuma, des flammèches apparurent à la frange.

– Non… non… nous ne savons rien.

Crozier tira sur son cigare, dont le bout incandescent vira à l'orange.

– Et les Temblas ? Il est écrit ici : « Nous allons localiser le cite de l'antique machine d'Ur-Can créée par la civilisation tembla. »

– J'ignore absolument tout d'un vieux bazar et de ces Temblas, compris ? hurla Becca, folle de rage.

– La lettre continue ainsi… Aïe ! C'est difficile de lire, avec toute cette fumée.

Becca se tourna vers son frère, comme pour lui demander de l'aide. Mais il était aussi impuissant qu'elle.

Becca affronte Pembleton-Crozier. Cahier à dessins de Doug. (CDM 4/33)

– Souhaitez-vous que je vous parle des Temblas ? Des fois que cela éveille vos souvenirs. Il s'agit d'une très prestigieuse et très ancienne civilisation apparue après la dernière grande période glaciaire. Elle expédia des émissaires dans la vallée de l'Indus à l'époque de ce que les historiens de l'Inde ont appelé l'âge épique[14]. Le capitaine a certainement mentionné l'Antarctique devant vous, non ? Ah ! J'en étais sûr. Vos yeux vous ont trahis, mes amis.

Une petite flamme lécha le bord de la feuille.

– Ça suffit ! cria Charlie. Laisse ces enfants tranquilles ! Ils n'ont aucun renseignement qui t'intéresse.

– Si tu ne la boucles pas, Charles, je te bâillonne.

Pembleton-Crozier sortit un revolver de sa ceinture et le posa sur la table. Un instant, Doug envisagea de plonger pour s'en emparer, mais il comprit rapidement qu'il n'avait aucune chance de réussir. La lueur furieuse qui allumait les yeux de sa

---

14. La dernière grande période glaciaire s'acheva vers -10 000 avant notre ère. La civilisation de l'Indus apparut vers -8 000 et perdura jusque vers -1 500. L'âge épique s'étend de 800 à 600 avant J.-C. *(N.d.T.)*

sœur lui était familière. Crozier avait été trop loin. Elle réagit si vite qu'il eut du mal à suivre. Soudain, elle s'était saisie du verre d'eau et en jetait le contenu sur le papier qui se consumait, inondant au passage le cigare de Crozier, qui s'éteignit en sifflant. L'homme bondit sur ses pieds et attrapa son arme. Il s'essuya le visage avec son mouchoir, cligna des yeux.

À cet instant, Lucretia Pembleton-Crozier entra dans la pièce. Sa démarche était majestueuse, et l'atmosphère changea immédiatement – l'autorité et le pouvoir désertèrent Julius au profit de son épouse.

– Bonsoir, ma chère, la salua-t-il, la moustache agitée par un tic nerveux.

Lucretia leva les sourcils avant de se tourner vers Charlie.

– Charles. Quel plaisir de vous revoir.

– B-bonsoir, Lucretia.

– Je me demandais si vous daigneriez vous montrer. Et voici sans doute les jeunes MacKenzie. Enchantée. Julius ? La Coterie est réunie.

– La Coterie de Saint-Pétersbourg ! hoqueta Charlie. Ici ?

Les lèvres écarlates de Lucretia dessinèrent un sourire glacial. Son mari brandit son revolver.

– Debout, vous trois ! ordonna-t-il. Inutile de résister.

– Nom d'un chien ! Je n'en reviens pas d'avoir accepté d'être embarquée là-dedans ! Je suis censée piloter des avions, pas les pousser à la rame comme une espèce de fichu trappeur son canoë. Comment en suis-je arrivée là ?

Le *Dragon Belliqueux* était ballotté par la houle. Liberty et le capitaine avaient traversé le chenal et suivaient maintenant la côte du promontoire de l'île Australe, sur leur droite.

– Sûrement lorsque vous avez accepté de prendre un verre avec Pembleton-Crozier à Fuzhou.

– Gardez vos sarcasmes pour vous, 'pitaine, rétorqua la jeune femme en cessant de pagayer pour lui lancer un regard peu amène. Si je suis ici en ce moment, c'est juste pour récupérer *Lola*, ne l'oubliez pas.

– Dites-moi, mademoiselle, que savez-vous de ce Capulus ?

– Pourquoi ?

– Il est peut-être en relation avec les parents de Rebecca et Douglas.

– Capulus, Pembleton-Crozier… vous. C'est toute la difficulté, hein ? Auquel faire confiance. Pour moi, vous n'êtes tous que

LUCRETIA PEMBLETON-CROZIER

Fille d'un marchand de jade portugais, elle était réputée pour son esprit calculateur et son train de vie fabuleux. On raconte qu'elle scandalisa la bonne société londonienne en remportant, à l'âge de dix-huit ans, un concours de pistolet réservé aux hommes, habillée en costume de tweed et coiffée d'une perruque.

des nuances différentes du même gris. Je suis piégée. Un peu comme ces mômes. Prise au milieu de tout ça. Il semble que je me sois retrouvée de votre côté, mais est-ce le bon ? En plus, vu le peu de remerciements auxquels j'ai droit…

– Je vous suis extrêmement reconnaissant d'avoir sauvé mon bateau sur l'île de Wenzi. Je n'ai sans doute pas été assez clair là-dessus. Vous avez également pris soin de mes neveux, ce dont je vous suis infiniment gré.

– Bah, le hasard, rien d'autre.

– Je les trouve très volontaires. Pour ne pas dire têtus. Je commande un vaisseau, mais j'ai l'impression d'être incapable de contrôler ces deux enfants.

– Comment ce fardeau vous est-il tombé dessus? Vous n'êtes pas exactement le père idéal, à vous trimballer ainsi autour du globe dans votre barcasse en essayant de garder tous ces secrets poussiéreux. Avez-vous eu des enfants à vous?

Le capitaine ne répondit pas.

– Espèce de vieux coquin! Une femme dans chaque port, j'imagine.

– Puisque vous voulez tout savoir, ma femme est morte en couches il y a des années. Elle et notre bébé sont enterrés à… cela n'a aucune importance. N'en parlons plus.

Durant quelques secondes, le seul bruit fut celui de l'eau dégouttant des rames.

– Je suis vraiment navrée, capitaine. J'ignorais.

Liberty enfonça profondément son aviron avant de tirer dessus. Face à eux, le ressac se brisait, signe qu'ils approchaient du cap.

– Si cela peut vous aider, reprit la Texane, enfin, si ça peut servir à Becca et Doug dans leur recherche de leurs parents, Capulus a contacté Mallagerty en lui proposant un échantillon de cette Fille du Soleil.

– Mallagerty?

– Le directeur des bureaux de mon père à Shanghai. Ma famille entretient des équipes de prospection un peu partout dans le monde, surtout ici, en Asie. Capulus a envoyé une lettre dans laquelle il affirmait que ce nouveau matériau avait le pouvoir de détruire l'industrie pétrolière. Mallagerty a traité ce type de dingue, ce qui n'était pas faux, mais pas au sens où nous l'entendions. Comme j'avais une semaine de libre avant de repartir aux États-Unis, j'ai eu envie d'aller jeter un coup d'œil à la proposition du bonhomme. Père m'a demandé de renoncer, ce qui n'a fait que m'encourager un peu plus, naturellement. Qu'avais-je à perdre ? Un avion et mon auriculaire, semble-t-il au bout du compte, sauf que je l'ignorais. En tout cas, je n'ai jamais entendu Capulus mentionner le nom des MacKenzie.

– Eh bien, quel discours !

– Et je n'en ai pas terminé, 'pitaine. J'ai un autre secret à vous confier, si ça vous intéresse.

– Ne me dites pas que vous comptez entrer au couvent quand tout cela sera fini !

– Ces gosses, Becca et Doug, ils vous aiment bien.

– Le sentimentalisme ne vous sied pas, mademoiselle da Vine. Je crois bien que je suis plus à l'aise avec votre fameux humour texan.

– C'est ça. Et moi, je suis plus à l'aise dans les airs. En avons-nous bientôt terminé avec ces avirons ?

– Presque. Nous nous sommes suffisamment éloignés de l'île pour que le courant nous emporte. D'après moi, nous allons dériver au sud-est sur environ trois nœuds. Vers minuit et demi, ajouta-t-il après avoir consulté sa montre gousset, nous serons à une bonne dizaine de kilomètres des Kalaxx. À ce moment, nous pourrons allumer le moteur sans danger.

Liberty grimpa dans le siège du pilote et tapota la carlingue du petit avion.

– Alors, murmura-t-elle, nous verrons si ce dragon a du feu dans le ventre.

CHAPITRE QUINZE

Avant même que Julius Pembleton-Crozier eût claqué et fermé à double tour la porte, Doug cherchait un moyen de s'échapper de la cave de la villa. La lampe de Crozier avait révélé une bougie et des allumettes sur une table. Dans le noir le plus complet, le garçon les retrouva rapidement et alluma la chandelle. La lueur orangée révéla Charlie, affalé dans un coin, l'image d'un homme vaincu.

– Pourquoi vous êtes-vous sauvé, Charlie? Et pourquoi être venu ici? Le capitaine sera furieux.

– Détachez-moi les mains, voulez-vous? Tu p-présupposes bien des choses, Doug mon ami. D'abord, que n-nous r-reverrons le c-capitaine. Ensuite, qu'il p-passera l'éponge sur votre p-présence ici.

– Avez-vous réellement cru que Pembleton-Crozier vous écouterait? s'enquit Becca en le libérant.

– Je p-pensais le c-convaincre d'arrêter… j'espérais réussir à le retourner. M-mais il a p-perdu l'esprit.

– Vous nous en auriez parlé, nous aurions pu vous le dire tout de suite, soupira Doug. Ça vous aurait évité le déplacement. En attendant, il faut que nous filions d'ici.

Malheureusement, à première vue, la cave ne recelait rien à même de les aider dans ce projet. Le cadet des MacKenzie sortit une bouteille d'un casier et en déchiffra l'étiquette.

– Château Latour 1893, lut-il.

– P-pas mal!

Doug la fit rouler sur le sol en direction de Charlie.

– Il y en a des caisses entières, expliqua-t-il.

Il bouscula les râteliers, et les précieux flacons s'entre-choquèrent. Il donna un coup de pied dans un des montants, et un écrou rouillé se brisa avec un bruit sec. Le casier s'inclina et, soudain, trois cents bouteilles mena-cèrent de s'écraser au sol.

– Au secours, Becca !

Prestement, les deux enfants déchargèrent le vin, qu'ils entreposèrent par terre.

– Maintenant, recule ! lança Doug en tordant le montant à droite et à gauche jusqu'à ce que le métal fatigué cède. Et hop ! Une barre de fer !

– Te voilà bien avancé !

– Détrompe-toi. Je vais l'utiliser pour desceller une des lattes du plafond. Ce truc va décupler ma force. À présent, j'ai juste besoin d'un trou.

Le montant était étonnamment lourd. Aidé de sa sœur et de Charlie, le garçon parvint cependant à en insérer une extrémité dans une fente étroite entre une planche et une solive. À eux trois, ils firent coulisser la barre de bas en haut jusqu'à obtenir une bonne prise. Il y eut un craquement, puis le bois se mit à bouger en gémissant.

– Stop ! ordonna Doug quand les têtes des clous qui le maintenaient en place apparurent.

Il tira la table juste sous la solive, grimpa dessus et appuya sur la planche.

– Bon, vous deux, vous faites pression à l'autre bout pendant que, moi, je maintiens la mienne ici.

Docilement, Charlie et Becca repositionnèrent la barre à l'opposé du lieu où se tenait Doug et se remirent au travail. Quelques instants plus tard, la latte céda.

– Théorie du levier, renifla le garçon l'air de rien. «Donnez-moi un point fixe, et je soulèverai la terre.»

– Je d-doute qu'Archimède pensait à un cellier de vin q-quand il a eu l'idée, Douglas.

Quelques minutes plus tard, ils délogèrent une deuxième planche, s'ouvrant ainsi une porte de sortie bien tentante.

ARCHIMÈDE

Mathématicien grec (vers 287-212 avant J.-C.) connu pour ses travaux en physique, géométrie et sciences mécaniques, notamment sur les propriétés des leviers et poulies. Célèbre pour le principe qui porte son nom et théorise le déplacement des fluides, qu'il aurait découvert en prenant son bain, et pour avoir couru nu dans les rues de Syracuse en criant: «Eurêka!» («J'ai trouvé!»).

– Faites-moi la courte échelle que je jette un coup d'œil là-haut.

Becca aida son frère à se hisser dans le passage. Il s'assit sur le rebord du plafond.

– La voie est libre?

– Oui, chuchota-t-il. Mais parlez doucement et méfiez-vous des clous. Je vais vous tirer.

Attrapant la solive, Becca réussit à grimper toute seule. Charlie suivit.

– B-bien joué, Doug.

Ce dernier mit un doigt sur ses lèvres. On entendait discuter dans la pièce voisine.

– La Coterie! murmura Charlie, les yeux écarquillés.

Ils s'approchèrent de la porte sur la pointe des pieds. À travers une fente, Doug aperçut Lucretia debout à la tête d'une longue table de bois poli, et le reste de l'assemblée assis autour. La voix de la jeune femme était ferme et mesurée.

– Estimez-vous que les recherches sur le prototype de générateur sont terminées, Borelli?

– Absolument, répondit l'Italien, son sourire suffisant à peine voilé derrière les pans de fumée bleue que crachait son cigare. Les résultats des tests ont prouvé que nous pouvions désormais attaquer le projet Avalon. Je suis certain que, dorénavant, nous réussirons à contenir un vortex gravitationnel encore plus puissant.

– Faut-il que nous démantelions le prototype?

– Ce serait inutile et onéreux. Son rôle est terminé. Je propose que nous le détruisions *in situ*.

– Soit. Passons à l'extraction et au raffinage. Harry?

– Le rendement des tunneliers est tombé de manière significative, ces six derniers mois. Les mines s'épuisent. Aucune importance, puisque nous disposons maintenant d'un stock de trois tonnes de zoridium.

– Est-ce assez pour nourrir la suite de nos recherches?

– Cela devrait suffire pour trois bonnes centaines d'années.

Lucretia hocha la tête avant d'interroger son époux.

– Qu'en est-il de notre programme d'armement, Julius?

– La mise au point de torpilles au zoridium a été un succès, même si l'on peut déplorer la liquidation de notre unité de production de l'île de Wenzi.

– Une perte regrettable, admit sa femme en croisant les bras. Mais nos centres de recherches implantés à Zurich et San Francisco y pallieront. Qu'en est-il de notre trésorerie, je vous prie, baron Vanvort?

Les yeux glacés de ce dernier déclencha des frissons dans le dos de Doug. Les cheveux noir corbeau du baron étaient tellement plaqués sur son crâne que la peau de son visage en paraissait tendue. Lorsqu'il parla, ce fut d'une voix aussi coupante et froide que son regard.

– Nous avons les moyens de financer le projet Avalon.

– Parfait. Je suggère donc que nous nous y mettions immédiatement. Tout le monde est d'accord?

Les membres de la Coterie acquiescèrent en signe d'assentiment.

– Nous sommes à un stade décisif de notre développement, messieurs. Décisif.

– Un instant, Lucretia, intervint Vanvort avec une lenteur délibérée. Au regard de la bonne santé de nos investissements, je suis d'avis de continuer notre quête des secrets temblas. Une expédition en vue de localiser Ur-Can serait susceptible de nous doter d'une machine beaucoup plus puissante.

– Ne nous égarons pas, répliqua son interlocutrice. Nous avons un but bien précis, je vous rappelle. Vous êtes en train de parler comme un membre de ce maudit Cercle.

– Nous ne savons toujours pas en quoi consiste la mécanique d'Ur-Can, ni ce dont elle est capable, insista le baron. Sans vous vexer, Borelli, pour peu que les avertissements contenus dans les 99 *Éléments* soient à prendre au sérieux, votre générateur n'est qu'un jouet en comparaison de cet appareil mythique.

– Ne retombons pas dans les vieilles arguties du CS, riposta Borelli, piqué au vif. Tout cela n'est qu'un exercice académique sans intérêt. L'avenir repose sur notre capacité future à exploiter le zoridium pour alimenter des générateurs électriques. Réjouissons-nous de notre succès et oublions les gyrolabes et Ur-Can.

– Il est néanmoins envisageable que la cité recèle l'ultime secret, intervint Pembleton-Crozier. Votre invention est certes géniale, Borelli, elle ne doit pas nous empêcher d'envisager d'autres éventualités. Notre actuelle réussite, aussi extraordi-

LE BARON VANVORT

Les structures archaïques du CS firent qu'il resta presque dix ans un membre fidèle de l'organisation et son trésorier sans rendre de comptes. Vanvort avait résolu de saper le Cercle de l'intérieur en le criblant de dettes. Vers 1920, il avait pratiquement détourné tous les biens du CS sur les comptes en banque de la Coterie de Saint-Pétersbourg, qui, renée de ses cendres, se nourrissait comme un parasite sur le dos du Cercle, tant financièrement que scientifiquement.

naire soit-elle, ne nous a pas encore menés au sommet de nos ambitions.

– Ridicule ! s'emporta l'Italien en frappant du poing sur la table. De toute façon, vous auriez besoin des quatre gyrolabes pour faire fonctionner votre bazar aussi antique que légendaire !

– Nous en avons déjà deux, et je sais précisément où se trouvent les deux autres. Nous avons parcouru la moitié du chemin, cher ami.

– Sauf que vous n'avez aucune idée de l'emplacement d'Ur-Can ! s'époumona Borelli, exaspéré. Le Cercle a perdu des siècles dans cette vaine quête. Pourquoi répéter de poussiéreuses erreurs ?

– Laissons de côté ce débat pour l'instant, lança Lucretia en reprenant le contrôle de la situation. Nous avons des sujets plus urgents à régler. Je propose que nous mettions un terme à notre opération ici. Il est cependant hors de question que le monde découvre la localisation de notre approvisionnement en zoridium, et se pose la question de nos liens avec les Kalaxx.

– Je vous promets que, d'ici demain, ces liens n'existeront plus, s'esclaffa son mari.

– Êtes-vous certain que l'*Expédient* ne nous causera pas d'ennuis ?

– Il est coincé sur un banc de sable et, à l'heure actuelle, des tunneliers se précipitent pour percer sa vieille coque

LA COTERIE DE SAINT-PÉTERSBOURG

La Coterie de Saint-Pétersbourg fut fondée à l'hiver 1880 par une faction de membres du Directoire du CS mécontents et désireux de se libérer des contraintes d'un autre temps en vigueur dans le Cercle. Leur but explicite était de mettre en pratique de façon moderne et concrète les enseignements scientifiques des 99 Éléments. Afin d'afficher leurs ambitions, ils mirent au point un générateur électrique à partir du gyrolabe. La machine fut construite dans les faubourgs d'Alma-Ata, au Kazakhstan.

Le premier test se termina par la destruction catastrophique du générateur, qui conforta le Cercle dans sa conviction ancrée depuis longtemps que les 99 Éléments devaient être étudiés et protégés jusqu'à ce qu'on les comprît comme il se devait. Les rares membres de la Coterie qui avaient survécu à cette malheureuse expérience furent capturés et jugés au siège du CS, à Florence. (Illustration tirée de La Coterie de Saint-Pétersbourg, *Recueil de preuves n° 3, 1897 : siège original de la Coterie de Saint-Pétersbourg.)*

(AM 46-1514 CS)

La diversion du capitaine

Cahier à dessins de Doug. (CDM 4/38)

rouillée. L'arrivée impromptue de ce bateau est, à la réflexion, un avantage. Presque tous les Kalaxx ont été attirés là-bas par la perspective de combattre les Sujing Quantou jusqu'à la mort. Qu'ils se déciment entre eux. Et qu'ils règlent son compte à Fitzroy par la même occasion. Je profiterai de la confusion pour récupérer le gyrolabe du nord.

– En ce cas, conclut Lucretia en se dirigeant vers la fenêtre, nous quitterons l'île cette nuit. Borelli, le dernier lot de zoridium va être immédiatement chargé à bord de votre sous-marin. Vous autres, messieurs, partirez en dirigeable. Rendez-vous à Alexandrie dans deux mois.

Tandis que les chaises raclaient le sol, les jeunes MacKenzie et Charlie déguerpirent en direction de la porte arrière de la villa. La clôture grillagée n'était pas loin, mais le terrain offrait peu de couvert.

– Vous connaissez ces gens-là, Charlie ? demanda Doug.

– Q-quelques-uns, admit le jeune homme. Et m-maintenant, nous avons intérêt à t-trouver un moyen de regagner le navire pour informer le capitaine.

– Inutile. Il doit venir ici avec Liberty. Ils ont l'intention d'amerrir dans la baie où nous avons ancré le *Petit Mousse* l'autre soir. Et maintenant, courez et ne vous arrêtez pas avant d'avoir atteint l'enceinte !

Dans un bel ensemble, ils filèrent à fond de train. Ils n'avaient cependant pas parcouru vingt mètres qu'une sentinelle kalaxx donna l'alerte. Les projecteurs se mirent à balayer les environs.

– Reste près de moi, Becca ! cria Doug en zigzaguant pour échapper au faisceau de lumière.

Ignorant son frère, celle-ci sauta sur la droite. Un instant, la lampe illumina Doug, puis il s'évanouit dans l'obscurité. Presque aussitôt, un deuxième projecteur le dénicha. Une mitrailleuse se mit à tirer en ligne devant eux, les arrêtant net.

– Ah ! Je c-c-crois que j'aurais m-mieux fait de r-rester dans cette cave pour m'offrir une goutte de Latour, marmonna Charlie en levant les bras.

En attendant que les gardes les rejoignent au pas de course, l'œil de Doug fut attiré par une fusée qui traversait le ciel en provenance de l'île Australe. Dans une énorme explosion, elle atterrit sur un vaste bâtiment de bois, à l'autre bout du territoire de la mine, et des flammes gigantesques grimpèrent vers la nuée.

La diversion du capitaine avait commencé.

Soudain, le sol trembla, et les quatre Sujing Quantou serrés les uns contre les autres virent, impuissants, la tête foreuse chauffée à blanc d'un tunnelier dévaster la plage dans un tourbillon de sable. Sur le pont de l'*Expédient*, un projecteur s'alluma, aveuglant. Le canon de 12 arrière ouvrit le feu, touchant de front la machine, qui s'embrasa.

Des mineurs kalaxx se ruèrent aussitôt hors du poste d'observation et s'engouffrèrent dans le sentier qui descendait de la ligne de crête. Xu aperçut à peine les combattants Sujing Quantou qui se déployaient le long de la redoute. Les mineurs envoyèrent vers les lignes de défense une volée de bâtons de dynamite qui explosèrent dans un bruit assourdissant. Comme en écho, la sirène de l'*Expédient* ulula pour avertir de la déflagration imminente des charges destinées à creuser la rampe de mise à l'eau conçue par Chambois.

– Ils s'apprêtent à lancer le navire, chuchota Maître Aa.

– Aux abris ! Aux abris ! lança une voix claire dans la nuit.

Quelques secondes plus tard, une série de détonations éclatèrent sous le bateau. La mer s'engouffra dans l'espace et entoura le bâtiment, comme des douves. Les Kalaxx qui approchaient ralentirent, à la fois surpris et effrayés devant le spectacle de tonnes d'eau et de sable qui se déversaient sur la plage. Pour qui n'était pas au courant du projet de Chambois, on aurait dit que le vaisseau venait d'être miné.

– Il flotte ? demanda Xi.

L'*Expédient* retrouva son aplomb, et les embruns furent emportés par le vent. Le bateau était désormais beaucoup plus enfoncé sous la surface. Ses machines se mirent en route, et les hélices à demi submergées firent bouillonner les eaux peu profondes. Malheureusement, le bâtiment n'avança pas d'un pouce.

Il était coincé !

Le moteur du *Dragon Belliqueux* cliquetait au fur et à mesure qu'il refroidissait. Jusque-là, le plan du capitaine avait fonctionné. Après avoir dérivé durant deux heures loin de l'archipel, ils avaient décollé et pris de l'altitude avant de revenir en direction de l'île de la Soufrière. En approchant, ils avaient vu l'explosion provoquée par la fusée des Sujing, qui avait frappé l'entrepôt de dynamite, à une heure du matin précise. Liberty s'était servie des flammes comme d'un phare et avait plané jusqu'à la mer, où ils s'étaient posés avant de pagayer les derniers mètres pour gagner la plage.

– Attachez-le, 'pitaine, pendant que je prends ma police d'assurance.

– Pardon?

Liberty tira son tromblon à double canon du cockpit.

– Je suis surpris qu'il fonctionne encore après que vous avez canardé l'entrepôt de poudre de Sheng.

– Cette pétoire est en pleine forme! le rassura la jeune femme. Et Maître Aa m'a refilé un sachet de sa poudre magique.

– Vraiment? Dans ce cas, la prochaine fois que le doigt vous démangera, ayez la bonté de me prévenir. La mine est là-bas. Nous allons commencer par la raffinerie.

– *Nous*? Vous ne vous attendez tout de même pas à ce que je vous aide?

– À deux, nous irons plus vite, non?

– Bon sang de bonsoir, marmonna Liberty tandis que le capitaine lui lançait une corde et entreprenait d'escalader le périmètre grillagé des installations kalaxx.

Au loin, le moteur d'un dirigeable ronronna et, quelques

instants après, l'énorme aérostat se détacha du mât à croisillons et s'envola dans le ciel, passant juste au-dessus d'eux. De la lumière brillait à travers les fenêtres de la nacelle accrochée sous la gigantesque voilure.

– Joli, commenta la Texane, mais je préférerais me pendre plutôt que de monter dans un truc pareil. Avec tout cet hydrogène, ce n'est jamais qu'une bombe volante.

Le régime des machines s'amplifia, et l'engin argenté s'éloigna dans la nuit. Le capitaine et Liberty se mirent en route, vifs et discrets. Une fois arrivés à un camion garé près de la villa, ils s'arrêtèrent pour reprendre leur souffle. À deux cents mètres de là, l'Américaine aperçut le hangar abritant son avion et elle eut bien du mal à se retenir de courir vers *Lola*.

– Regardez, voilà Borelli ! siffla l'oncle MacKenzie.

L'Italien venait en effet de surgir dans l'encadrement de la porte arrière de la maison. Il examina les alentours d'un air anxieux, puis descendit les marches et se dirigea hâtivement vers un autre bâtiment.

– Prenons-le en otage, suggéra Liberty en armant son tromblon et en suivant l'homme. Il nous sera peut-être utile.

– Mademoiselle da Vine ! J'insiste pour que nous agissions selon mon plan…

De nouvelles explosions retentirent du côté du hangar des munitions. De nombreuses dépendances étaient en feu à présent. Un convoi de wagons à écartement étroit fut soufflé par la déflagration de son chargement. La fumée envahissait la nuit. Les deux complices atteignirent une fenêtre rendue opaque par la poussière et jetèrent un coup d'œil à l'intérieur.

– Le laboratoire de Borelli, souffla le capitaine. Il faut que je voie ce qu'il a fabriqué.

– Ne recommencez pas à délirer avec ces histoires de
Cercle, 'pitaine. Nous sommes ici pour déposer deux bombes
et récupérer un avion. Nous n'avons pas des masses de temps.

– Juste un moment, mademoiselle da Vine, répondit
Fitzroy MacKenzie en poussant doucement la porte. Cela
pourrait être important.

Au milieu de la pièce trônait un énorme globe d'argent
éclairé par une ampoule, unique mais puissante, suspendue
au plafond. Dans le clair-obscur que dessinaient les lueurs
des jauges et des cadrans, des appareils de mesure
complexes montés sur châssis étaient pointés vers la sphère.
La mécanique était alimentée par un réseau de gros câbles
électriques qui sinuaient sur le sol en vastes courbes et
nœuds. Borelli était occupé à entasser des manuscrits et des
notes dans une valise.

– Vous nous quittez, Borelli ?

– MacKenzie. Fâcheuse rencontre au clair de lune[15].

Le savant continua à empaqueter ses affaires, apparemment peu inquiété par leur présence. Ses mouvements
étaient rapides et précis.

– Julius et moi avons bien travaillé, ici, vous ne trouvez
pas ? Entre mes qualités scientifiques et le talent inné de
Pembleton-Crozier pour la magouille, nous sommes carrément imbattables.

Le capitaine dégaina son épée, dont la lame acérée
comme un rasoir étincela lorsqu'il s'approcha, suivi de
Liberty, son tromblon prêt.

– Tout ce que je vois, ce sont les travaux effrayants d'un
dément.

– À vos yeux peut-être. D'autres me considèrent comme
un génie.

15. Shakespeare, *Le Songe d'une nuit d'été*, acte II, scène I. Très célèbre réplique d'Oberon
à Titania – « *Ill met by moonlight, proud Titania !* » *(N.d.T.)*

– Oh, mais vous en êtes un, Borelli, j'en suis conscient. Quant à Pembleton-Crozier, ce n'est qu'un manipulateur, un homme du monde réduit à fréquenter des mercenaires et des assassins. Il a fait de vous tout ce que vous méprisiez, autrefois.

– Nous avons construit un générateur fonctionnant au zoridium, est-ce un si grand crime, Fitzroy? C'est le début d'une nouvelle ère industrielle! Quel savant ne rêverait pas d'une telle réussite?

– Vous. Ou du moins, celui que je connaissais il y a cinq ans. Vous vous êtes vendu au plus offrant. Vous vous êtes trahi.

– Moi? Pendant des années, en tant que membre du Cercle, j'ai vécu dans la pauvreté et l'obscurité, gardant le secret, attendant… attendant toujours et encore. Je n'en peux plus d'attendre, Fitzroy. Je n'ai plus qu'un an à vivre, je suis en train de mourir. J'ai choisi de le faire dans la peau du savant le plus célèbre depuis Newton.

– La gloire… c'est donc ça? Je pensais que vous valiez mieux.

– Et la fortune, naturellement. Pensez aux profits! Une énergie facile et peu chère à produire. Un rapport d'un tout petit pour cent suffirait à rendre la Coterie riche au-delà de vos évaluations les plus folles.

– Pembleton-Crozier s'est allié avec le pirate le plus sinistre de toute la mer de Chine méridionale. Est-ce en cette compagnie que vous souhaitez terminer vos jours?

– Sheng-Fat n'était jamais qu'un leveur de fonds. La Coterie manquait d'argent, et les Kalaxx commençaient à ruer dans les brancards.

Le capitaine soupira.

– Et maintenant quoi? demanda-t-il. Vous allez vous mettre en quête d'Ur-Can? Vous avez cru à l'existence de cette cité.

– Personne n'a trouvé Ur-Can. Personne ne sait même de quoi il retourne. Alors, à quoi bon? Non, ce qui vaut la peine est ici, dans les plans de mon générateur.

Borelli tapota ses papiers.

– Comment avez-vous localisé les mines?

– Grâce à la traduction par Elena des hiéroglyphes de Capulus. Je lui en serai éternellement reconnaissant.

– Ne me dites pas qu'elle appartient à la Coterie, elle aussi!

– Non, s'esclaffa Borelli. Bien sûr que non. Et elle n'a jamais appris que c'était mon cas. Ses recherches ont conduit Julius sur cet archipel en 1916. Voilà quatre ans que nous extrayons et raffinons la Fille du Soleil.

– Vous êtes décidément tombé bien bas, murmura le capitaine en appuyant la pointe de son épée sur la poitrine de l'Italien.

Soudain, derrière eux, quelqu'un ouvrit la porte d'un coup de pied. Se retournant, les protagonistes découvrirent le canon d'un pistolet braqué droit sur Liberty par une Lucretia revêtue d'une élégante combinaison d'aviatrice.

– Laissez tomber vos armes!

– Lucretia! Vous aussi! s'exclama l'oncle MacKenzie.

– J'ai dit: laissez tomber vos armes. Vous, là, posez ce… cet engin sur le sol et écartez-le du pied. Vers moi.

Liberty fronça les sourcils mais n'eut d'autre choix que d'obtempérer.

– Voilà bien longtemps, Fitzroy, reprit Lucretia froidement tandis qu'elle se baissait pour ramasser l'antique tromblon. Et, pour votre gouverne, sachez qu'utiliser Sheng-Fat était mon idée. Ne sous-estimez jamais l'influence d'une bonne épouse. Il est l'heure de partir, ajouta-t-elle à l'adresse de Borelli. Vous êtes prêt?

– Presque. Qu'allons-nous faire de Fitzroy et de cette femme?

– Les amener à Julius. Il saura s'en débrouiller. Alors, nous pourrons enfin quitter cette île perdue au milieu de nulle part, nous aussi. Je veux prendre un bain de champagne millésimé d'ici demain après-midi au plus tard.

CHAPITRE SEIZE

D'une brusque poussée, Borelli propulsa ses deux prisonniers dans le bâtiment du générateur.

– De nouveaux visiteurs, Julius! annonça-t-il en incitant de son arme le capitaine et Liberty à grimper sur une passerelle surélevée qui formait une galerie circulaire.

Leurs pieds résonnèrent sur la structure en fer. En bas, les immenses hélices du générateur tournaient en émettant un bourdonnement électrique sourd.

– Dieu du ciel, qu'avez-vous fait? murmura l'oncle MacKenzie, atterré par le spectacle de l'abominable machine.

– Fitzroy! s'exclama Crozier. Comment va la jambe? Accompagné de Mlle da Vine, qui plus est! Vous connaissez déjà mes deux autres invités, n'est-ce pas?

– Becca? Doug? Comment diable êtes-vous arrivés ici?

– Et Charlie s'est joint à nous, car on n'est jamais trop nombreux, entre amis! poursuivit Pembleton-Crozier sur un ton de fausse jovialité.

– Montez le générateur jusqu'à mille kilowatts, Julius, ordonna Borelli. Ça rayera cette île de la carte, et tous ceux qui se trouveront dessus.

L'Italien essuya la transpiration qui mouillait son front avec une pochette de soie avant de s'éloigner vers la porte.

– Cet engin est monstrueux! hoqueta le capitaine. Monstrueux!

– Je préfère l'adjectif... merveilleux, cher ami, riposta Julius.

– C'est de la folie ! Nous n'en savons pas encore assez sur le vortex gravitationnel. Vous avez trahi tout ce pour quoi le Cercle s'est toujours battu !

– Nous nous sommes contentés de poursuivre les travaux entamés par votre père, Fitzroy. Lui et la première Coterie étaient des visionnaires. Si vous les aviez autorisés à continuer leurs expérimentations, nous serions tous riches, à l'heure qu'il est, ce qui nous aurait permis de faire progresser la science de cinquante ans d'un seul bond.

– On n'avance pas sans comprendre les tenants et les aboutissants de ce à quoi l'on s'attaque ! rugit le capitaine. Vous avez ignoré les avertissements des véritables inventeurs de cette technologie.

Le capitaine prisonnier du vortex gravitationnel. Cahier à dessins de Doug. (CDM 4/41)

– Vous êtes vraiment rabat-joie, Fitzroy! riposta Pembleton-Crozier, en décochant soudain un coup de pied dans la jambe abîmée de l'oncle MacKenzie, qui tomba à genoux. Votre père est mort dans son générateur. Comme on dit, tel père... tel fils.

Une deuxième poussée renversa le capitaine, qui culbuta dans la lueur bleue du générateur, où il fut aussitôt emporté, comme happé par un tourbillon. Prisonnier des griffes du vortex, il se mit à tourner à la même vitesse que les gigantesques hélices de la machine.

– Comment vous sentez-vous, Fitzroy?

Le malheureux était comme écartelé, visiblement soumis à d'intolérables souffrances. Pembleton-Crozier monta sur la plate-forme de contrôle.

– Et maintenant, marmonna-t-il, il me suffit de quelques réglages pour en finir aussi avec les Kalaxx. Facile, très facile.

Il manipula un levier, et les noyaux de zoridium se rapprochèrent de la sphère centrale, tandis que les bras d'entraînement accéléraient. Des éclairs électriques crépitèrent entre les deux pôles, et un anneau de lumière bleue se déploya entre les pales qui tournaient. Pembleton-Crozier brandit son arme en direction de ses prisonniers.

– Déplacez-vous sur le bord de la passerelle, ordonna-t-il. Tous.

– J-Julius, arrête! le supplia Charlie en avançant d'un pas.

L'autre fit feu, mais la balle fut déviée par le champ magnétique et frôla seulement le coude droit du jeune homme.

– Il est temps de rejoindre votre capitaine, ricana l'Anglais en repoussant Becca, Doug, Liberty et Charlie à l'extrême limite de la galerie circulaire.

L'un après l'autre, les captifs chutèrent dans le tourbillon provoqué par la gravité. Doug eut l'impression que des milliers d'aiguilles le poignardaient. Des vagues de courant ondulaient autour de lui. Son dos brûlait, douloureux, tandis qu'il tournoyait, cependant que la machine ne cessait de prendre de la vitesse. Il tenta de pivoter la tête pour regarder sa sœur, de l'autre côté du cercle formé par l'hélice, mais ne réussit qu'à apercevoir son bras.

Remettant son revolver dans sa ceinture, Pembleton-Crozier retourna à la table de contrôle. Il poussa encore le générateur, et le vortex réagit aussitôt en brillant d'une luminosité plus intense. La souffrance de Doug en fut décuplée.

– Dans dix minutes, il atteindra mille kilowatts, annonça Crozier en tripotant d'autres manettes. Voilà. Cet angle devrait être le bon.

Sur ce, il se saisit d'une clef, déboulonna le volant de contrôle et le jeta dans le vortex. Ses prisonniers virevoltaient de plus en plus vite, le bourdonnement s'intensifiait et l'énergie crépitait follement autour de la sphère centrale.

– Votre dernière heure est venue, Fitzroy. Celle du Cercle aussi. Vous avez perdu.

Il agita la main lorsque le capitaine passa sous lui, balança également sa clef en bas, puis s'en alla.

– Douglas ! Rebecca ! hurla l'oncle MacKenzie. Surtout, n'essayez pas de bouger. Au cœur du vortex, vous ne risquez rien. Si vous vous agitez, les forces centrifuges risquent de vous aspirer vers l'axe de la machine.

– Y a-t-il un moyen de sortir d'ici ? cria sa nièce.

– Pas que je sache.

– Je… je devrais p-parvenir à atteindre le centre, capitaine. Si je déplace suffisamment le noyau, le vortex se
rompra, au moins un instant. Je suis tout p-près d'un des
bras.

– Vous y laisseriez la vie, Charlie. N'y songez même pas.

– C'est m-ma faute, capitaine. C'est m-mon travail qui a
rendu ce m-monstre p-possible…

S'étirant, le jeune homme attrapa le bras en acier, puis se
retourna en hurlant de douleur, jusqu'à ce que le haut de
son corps brise la barrière luminescente, ses jambes battant
follement l'air, ses cheveux plaqués en arrière. Accroché au
rebord de la pale, il entreprit de ramper en direction du
centre du générateur, tel un homme accroché à la crête d'un
immeuble.

– Arrêtez, Charles ! Je vous en prie, revenez !

Mais Charlie, nimbé d'un halo violet, était à la moitié
du bras, maintenant. Les curieux effets du générateur lui
permirent de se mettre à genoux et d'avancer plus libre-
ment. Un peu plus loin, il arriva presque à courir, même si
Doug constata que le haut de son corps était bizarrement
flou et décalé par rapport à ses jambes, comme dans
le miroir déformant d'un palais des glaces forain. Soudain,
le jeune homme dut de nouveau lutter, puis sa silhouette
s'évanouit dans la lueur bleue et orange de la colossale
machine. Tandis que le bourdonnement se transformait
progressivement en un gémissement mélancolique, Charlie
reparut au milieu, comme dans l'œil d'un cyclone, le visage
blanchi par la brillance des étincelles de lumière.

L'axe supérieur crachait des éclairs à une vitesse fasci-
nante. Charlie escalada l'un des minces méridiens qui

conduisaient au noyau central, tous ses muscles tendus pour résister au courant.

– Le bouclier bouge, capitaine ! hurla-t-il par-dessus le vacarme. Je vais essayer de déloger le noyau. Une simple poussée devrait suffire à distordre le champ gravitationnel pour vous permettre de sortir de là.

– Préparez-vous ! brailla l'oncle MacKenzie à ses compagnons d'infortune. Courage !

– Maintenant ! lança Charlie.

Il appuya sur le noyau supérieur avec sa chaussure, et le générateur vacilla. Doug sentit la force d'attraction du vortex faiblir, puis reprendre du poil de la bête. Charlie se mit à donner des coups de pied, ébranlant l'axe, déséquilibrant les vagues ondulatoires provoquées par la machine. Chaque fois, le bouclier anti-gravitationnel se déplaçait un peu plus. Le vortex changea légèrement de direction, s'échappant de la trajectoire que lui imposait le bouclier. Tout à coup, le capitaine fut libéré du tourbillon et s'écrasa au sol.

– C'est ça, Charlie ! cria-t-il. Recommencez quand je vous le dirai.

Les autres effectuèrent un nouveau tour. Au moment où ils parvenaient à l'endroit où le capitaine était tombé, ce dernier lança son ordre. Doug et Becca furent libérés au même moment et dégringolèrent en tournoyant, atterrissant lourdement. Ils s'éloignèrent à quatre pattes, luttant contre la force d'attraction qui repartait de plus belle lorsque le vortex retrouva son orbite.

– Où est Liberty ? s'exclama Becca.

– Ici, cousine ! J'ai réussi, moi aussi.

L'Américaine courait déjà vers l'échelle permettant de rejoindre la galerie circulaire.

– Et Charlie ? enchaîna l'aînée des MacKenzie. Il faut arrêter le générateur.

Doug et son oncle escaladèrent les échelons à toute vitesse jusqu'à la plate-forme de contrôle suspendue au-dessus du diabolique engin.

– Pembleton-Crozier a saboté la machine, constata le capitaine. Nous ne pouvons rien faire. À force de s'emballer, elle va briser le bouclier anti-gravitationnel, et le tourbillon fracturera l'écorce terrestre. Je voulais détruire cette machine infernale, mais il s'en est chargé le premier, apparemment.

– Comment ça ? demanda Doug.

– Le vortex va atteindre une telle vitesse qu'il agira comme une foreuse et s'enfoncera dans la roche. Tel un gyrolabe, mais en beaucoup plus puissant.

– Le sol est quand même très épais.

– Pas ici. Nous sommes sur une île volcanique, mon neveu. Il a positionné l'engin sous un angle qui lui permettra de percer la chambre magmatique située sous le volcan, provoquant une éruption en direction de l'*Expédient*.

– Où il a expédié les Kalaxx au combat. Nous l'avons entendu affirmer que ces derniers ne seraient plus un problème après cette nuit. Il a l'intention de tous nous ensevelir sous des coulées de lave…

– Filez ! brailla Charlie depuis le centre du vortex.

Sa voix était distordue, rendue plus grave et plus sonore au fur et à mesure que l'engin accélérait. Le toit commençait à lâcher, des planches et des poutres étant aspirées par le tourbillon.

– Charlie ! cria le capitaine. Grimpez sur le bouclier, il vous protégera. C'est votre seule chance d'en réchapper !

Doug continuait à contempler le panneau de contrôle.

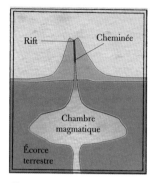

CHAMBRE MAGMATIQUE

La chambre magmatique est située sous un volcan. C'est l'endroit où le magma (autrement dit, de la roche en fusion) est stocké avant une éruption. Celle-ci est provoquée par la montée de la pression des gaz au sein du magma, qui s'échappe alors brutalement par fracturation de l'écorce terrestre.

– Nous pourrions essayer de changer l'axe du générateur, marmonna-t-il. Même si nous ne parvenons pas à l'arrêter. Cette manette commande l'inclinaison de l'appareil. J'ai vu P-C y toucher. Où voulez-vous que l'éruption soit dirigée ?

– Droit vers le ciel. De façon à affecter le moins possible la couche terrestre.

Le garçon tourna la manette jusqu'à ce que l'aiguille du cadran indique quatre-vingt-dix degrés. Le générateur réagit aussitôt et se redressa.

– Accrochez-vous, Charlie, murmura-t-il en se retournant.

Il vit le jeune homme traverser les éclairs de lumière et se percher au sommet du bouclier, noyé dans une aura bleu électrique. Ses hurlements de souffrance étaient insupportables.

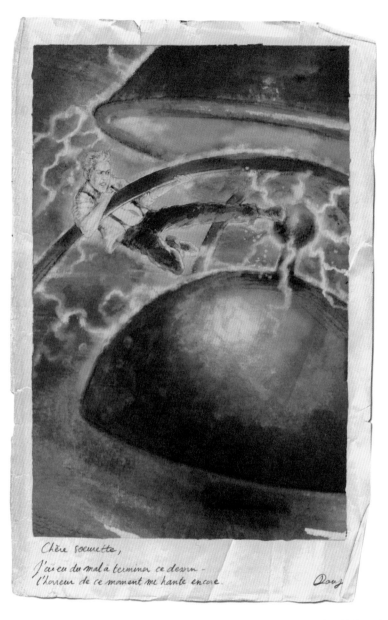

Chère soeurette,

J'ai eu du mal à terminer ce dessin —
l'horreur de ce moment me hante encore.

Doug

(AM 874-92 SOUF)

CHARLIE DANS LE GÉNÉRATEUR

– La baraque en forme d'étoile que vous vouliez faire sauter brûle déjà, capitaine, s'écria Liberty tandis que tous – sauf le pauvre Charlie – sortaient en courant du bâtiment abritant le générateur. Bon sang ! Il faut que nous déguerpissions d'ici.

– Je suis d'accord avec vous, mademoiselle da Vine. Les événements sont en train de dépasser le sabotage que j'avais prévu. Nous devons filer le plus vite possible de cet archipel.

– Pas encore, objecta Becca.

– Et pour quelle raison ? s'emporta l'Américaine.

– Nous avons découvert la trirème, mon oncle, le vaisseau grec qui avait disparu. P-C détient le gyrolabe du sud, un message secret de notre mère, le livre de bord du *Poisson Volant*...

– Le bateau de Duncan MacKenzie, précisa Doug.

– ... et mon journal intime. Il nous les a pris à la villa. Il est *indispensable* que nous les récupérions. Je vous en prie. Je sais où ils sont.

– Le bateau antique et le gyrolabe ? Et qu'en est-il de la section manquante des *99 Éléments* ?

– C'est Xu qui l'a, de même que les textes Ha-Mi qui ont guidé Duncan jusqu'ici.

Le capitaine partit d'un éclat de rire homérique.

– Qu'y a-t-il de si drôle ? s'énerva son neveu.

– Quatre cents ans de vaine quête, et c'est vous qui mettez la main sur ces trésors !

– Ben... oui, acquiescèrent les jeunes MacKenzie en se dévisageant.

Reprenant son sérieux, leur oncle avisa un camion garé non loin de là.

– Vous voulez toujours essayer de reprendre *Lola* ? demanda-t-il à Liberty.

– Quelle question idiote, 'pitaine ! C'est le moyen le plus sûr et le plus rapide de quitter cette île.

– Vous sauriez démarrer ce véhicule ?

– Les putois puent-ils ? répliqua l'Américaine, un grand sourire aux lèvres.

– Alors, tous à bord. Nous n'avons plus beaucoup de temps.

Liberty vint à bout du moteur en un tournemain, et ils partirent sur les chapeaux de roue à travers le territoire de la mine, désormais ravagé par les flammes. La dynamite de l'entrepôt qu'avait touché la fusée de Maître Aa continuait à exploser avec des bruits sourds. Liberty conduisait à toute vitesse, évitant les divers engins et les bâtiments sans jamais freiner, sauf quand elle s'arrêta devant la villa, dans un crissement de pneus.

– Trois minutes ! avertit-elle. Après, je pars récupérer mon avion sans vous.

Becca et Doug dégringolèrent du camion, grimpèrent les marches quatre à quatre et s'engouffrèrent dans la maison, le capitaine à leurs trousses. Becca fonça droit au salon où Pembleton-Crozier les avait interrogés. La table étant verrouillée, elle força la serrure à l'aide d'un couteau. Le message de leur mère était toujours là, de même que la traduction à moitié consumée de Crozier et les livres de chiffrement, le tout coincé dans son journal intime.

– Le gyrolabe a disparu, mais pas le livre de bord du *Poisson Volant*, remarqua Doug en s'en emparant.

– Il n'aura pas voulu se séparer de l'appareil, devina le capitaine. Il est trop précieux pour lui.

Dehors, Liberty martela l'avertisseur. L'oncle MacKenzie s'apprêtait à tourner les talons quand quelque chose attira son attention. Il ramassa le tromblon ridicule de la Texane et le coinça sous son bras, comme un garde-chasse.

– Visiblement, une arme qui n'a pas trouvé grâce aux yeux de Lucretia, jubila-t-il. Eh bien, maintenant, nous l'avons récupérée. Et comme dirait Liberty, il est temps de mettre les bouts.

Ils atteignaient la porte de derrière, lorsqu'un énorme pan de revêtement, qui s'était arraché du bâtiment abritant le générateur et s'était envolé, s'écrasa sur la maison. À l'intérieur du dôme, la lueur bleue palpitait plus fort. Doug sentit la structure de la villa craquer et gémir. L'atmosphère était à présent alourdie par une fumée étouffante qui tourbillonnait partout, et plus aucune des bâtisses composant l'installation minière n'échappait au feu.

Dans son camion, Liberty agita frénétiquement la main pour leur indiquer de se presser. Les jeunes MacKenzie bondirent sur le plateau du véhicule. Becca déchargea le capitaine du tromblon et crapahuta au milieu de caisses pour gagner le siège passager. Doug aida son oncle à franchir le hayon arrière. Liberty embraya brutalement, enfonça le champignon, et ils filèrent en direction du hangar de *Lola*.

– Charlie s'en tirera-t-il ? hurla Doug.

– Le mécanicien qui travaillait sur le générateur de mon père en a réchappé. Il tentait d'arrêter la machine en arrachant le noyau lorsqu'elle a sauté. Quant à savoir si les deux engins fonctionnent de la même façon, seul Borelli pourrait nous répondre.

Liberty tournait et virait dans tous les sens. Tout à coup, devant elle, apparurent une vingtaine de Kalaxx qui fonçaient vers un bateau ancré près du hangar de l'avion. Apercevant l'Américaine au volant, ils se mirent à tirer, la forçant à bifurquer dans un sentier de traverse pour aller se réfugier derrière une rangée de dépendances.

– Nous n'y arriverons jamais ! cria-t-elle en accélérant encore. Mieux vaut essayer de gagner la plage où se trouve le *Dragon Belliqueux*.

À cet instant, une explosion retentissante se produisit, suivie d'un aveuglant éclair bleu et blanc.

– Ça y est ! Le bouclier a lâché !

Le camion parut alors ralentir, attiré par les forces gravitationnelles que libérait le générateur. La villa s'affaissa, puis s'inclina en direction du bâtiment renfermant l'infernale machine. En quelques secondes, elle se coucha, et le toit s'ouvrit, tel celui d'une maison de poupée. Les équipements, les entrepôts, les mineurs étaient peu à peu happés par le vortex désormais incontrôlé. Un immense cyclone bleu jaillit vers le ciel, tournoyant comme une tornade à l'envers. Liberty enclencha la seconde et tenta de résister au courant. Une bise ahurissante soufflait en sens inverse, hurlante, déchaînée, se ruant vers le générateur.

– Plus vite ! cria le capitaine.

– Je suis déjà à fond sur l'accélérateur, répondit-elle.

Le camion tenait bon, même si sa capote en toile avait été depuis longtemps arrachée. Exposés à tout vent, Doug et le capitaine s'agrippaient de toutes leurs forces au treillis métallique recouvrant le plateau.

– On va y arriver, les gars…

Liberty avait à peine prononcé ces paroles que trois

caisses s'envolèrent, heurtant le capitaine au passage. Ce dernier bascula par-dessus le hayon. Doug eut juste le temps de l'attraper par le bras pour le retenir. Déjà, ses pieds traînaient par terre, crissant sur le gravier.

– Tenez bon, mon oncle ! Stop, Liberty ! Stop !

– Non ! Continuez ! Lâche-moi, Douglas, c'est un ordre !

– Pas question ! Sinon, vous serez emporté par le vortex.

Cependant, il commençait à lâcher prise. Une minute plus tard, le crochet retenant le hayon céda, et les deux passagers basculèrent hors du camion, bringuebalés dans tous les sens par l'aspiration du souffle mortel. Ils glissèrent et rebondirent ainsi sur une cinquantaine de mètres, incapables de résister à l'appel d'air. Devant eux s'ouvrait l'un des puits de mine, et ils fonçaient droit dessus. Ballotté de droite et de gauche, Doug était incapable de ralentir sa progression. Le capitaine fut le premier à rouler dans le souterrain. Sa jambe abîmée frappa une paroi, et il cria de douleur. À l'intérieur, le sol vitrifié n'offrait rien à quoi s'accrocher. L'oncle MacKenzie et son neveu prirent encore de la vitesse, les effets des forces centrifuges tout aussi puissants sous terre qu'en surface.

Après un coude, le conduit tombait brutalement. Griffant la surface lisse, Doug se tordit dans tous les sens pour essayer de freiner sa course. Le souterrain se rétrécissait à l'endroit où le tunnelier s'était arrêté, et l'étroitesse du passage stoppa net Doug et son oncle. Plus que jamais, le garçon éprouva la puissance de la gravitation, qui paraissait écraser son squelette. Le capitaine voulut se redresser, en vain.

– C'est extraordinaire, eut-il le temps de remarquer avant que la pression exercée sur sa jambe blessée l'oblige à se tasser par terre.

Doug tenta lui aussi de bouger – il était complètement paralysé. Des années auparavant, il était monté dans un manège d'une foire à Chicago, appelé le *Tonneau de la Mort.* Il s'agissait d'une espèce de grande barrique qui tournait sur elle-même si rapidement qu'il avait été cloué à la paroi par la force centrifuge. Il revivait l'expérience, sauf qu'il n'y avait rien d'amusant ici, et beaucoup plus de chances de mourir.

ÉVANOUISSEMENT DÛ AUX FORCES DE LA GRAVITATION

Une personne soumise à des forces gravitationnelles extrêmes risque de perdre connaissance. Le sang afflue dans les parties les plus basses du corps, privant le cerveau de son irrigation habituelle et d'oxygène.

– Nous ne pouvons rien contre cette machine, hurla son oncle. Nous avons déjà fait le maximum. Merci d'avoir voulu me sauver, mon neveu.

Horrifié, le garçon vit la peau du visage du capitaine se rider sous l'effet de l'aspiration provoquée par le vortex. Puis il se rendit compte, choqué, que son propre visage réagissait de même. Au fur et à mesure que son cerveau était privé de sang, sa vue commença à se troubler, tournant au gris, puis sa vision périphérique s'assombrit, et il finit par perdre connaissance.

Becca conjurait Liberty de s'arrêter.

– Non, ou nous mourrons toutes les deux! riposta la jeune femme.

Les roues du camion avaient du mal à ne pas perdre le contact avec la route. Becca était abasourdie, et elle hésitait à se précipiter à l'aide de son frère. Sa main s'approcha de la poignée.

– Ne bouge pas, Becca. Tu n'y peux rien. De toute façon, nous n'allons sûrement pas tarder à les rejoindre. Allez, toi, avance ! cria-t-elle au véhicule en repassant en première.

Soudain, sa passagère fut arrachée à son siège et culbuta en arrière. S'arc-boutant au dossier, elle tâtonna à la recherche d'une prise où assurer ses pieds. Le reste de leur chargement glissa sur le plateau et s'envola. Le vortex tirait sur le hayon. Paniquée, Becca comprit que sa vie dépendait d'une banquette défoncée et rouillée et de la résistance de ses bras.

Le camion sembla piquer du nez lorsqu'il franchit une crête et reprit un peu de vitesse. Liberty s'empara de sa pétoire, visa la barrière sur sa gauche et fit feu sur le verrou qui la fermait. Peinant, le véhicule descendit de l'autre côté de la colline. La conductrice tourna le volant et se dirigea vers la forêt abritée. La force du tourbillon diminua peu à peu. Liberty passa en seconde, tandis que Becca parvenait à se réinstaller à son côté.

– Nous devons y retourner !

– Nous n'irons qu'à un endroit, et c'est à l'hydravion, qui nous attend, là, en bas. Désolée, cousine.

Les yeux de l'adolescente se remplirent de larmes.

– Hé ! Ce n'est pas le moment !

Liberty poursuivit son chemin à travers la jungle, jusqu'à ce que le camion s'écrase en rebondissant contre un arbre.

– On est arrivées, tout le monde descend ! La plage est juste en dessous. Fonce !

Becca obéit, mais c'était comme courir dans un rêve. L'influence du vortex se faisait encore sentir et ralentissait les mouvements de ses membres. Elle avait l'impression de lutter pour monter une colline, alors qu'elle descendait en direction du *Dragon Belliqueux*.

Jetant le tromblon dans le cockpit, Liberty se mit à pousser l'hydravion. Becca l'aida à tourner le nez de l'appareil vers la mer, tout en s'efforçant de résister à l'appel meurtrier du générateur.

– Grimpe à la place du pilote et prépare cet oiseau à décoller. Moi, je me charge de l'hélice.

La jeune fille s'installa dans le siège, essuya ses yeux et tâcha de se concentrer. Les leçons de son amie lui revinrent aussitôt en mémoire. Elle trouva la commande des gaz.

– Prise ! Allumage ! Contact !

– Bien ! la félicita Liberty en lançant l'hélice.

Le moteur démarra en crachotant. La Texane grimpa sur les flotteurs et sauta dans le poste du navigateur.

– Qu'est-ce que tu attends ? cria-t-elle. Fonce ! Emmène-nous loin de tout ce bazar !

– Vous voulez que je décolle ?

– Tu préfères rester ici ?

Elles s'éloignèrent rapidement de la plage, accélérèrent encore, laissant derrière elles le souffle du tourbillon au fur et à mesure qu'elles gagnaient le large. Le vélocimètre marquait soixante-cinq kilomètres-heure. Becca essayait de se rappeler quelle vitesse l'engin devait atteindre avant de s'envoler. Liberty s'occupait de recharger son arme, y versant la poudre des Sujing qu'elle enfonçait à l'aide d'un écouvillon. Relevant la tête, elle dressa le pouce.

– Tu te débrouilles comme un chef, cousine. Nous sommes tranquilles, maintenant. Coupe les gaz.

Le *Dragon Belliqueux* ralentit. Elles étaient à un kilomètre de la plage environ. Tandis que le moteur tournait au ralenti, Becca se mit debout et regarda en arrière, vers l'île. Le spectacle qu'offrait la colonne du vortex s'élançant à

LE VORTEX GRAVITATIONNEL

Ces diagrammes montrent le champ gravitationnel du générateur alimenté au zoridium. Le schéma A détaille le premier engin élaboré par la Coterie et construit au Kazakhstan ; la faiblesse des boucliers installés au-dessus et au-dessous des noyaux centraux entraînait la création d'un vortex gravitationnel qui tourbillonnait en spirales dangereuses entre les noyaux. Le schéma B expose la machine implantée sur l'île de la Soufrière, équipée des boucliers réalisés à partir de la retranscription par Charlie du texte des 99 Éléments. Ce générateur-là provoquait un champ magnétique qualifié par Borelli de farfalla (papillon), contenu et contrôlé. Noter l'affaiblissement de ce champ le long des barres d'entraînement, par comparaison à son intensité au niveau de l'axe central.

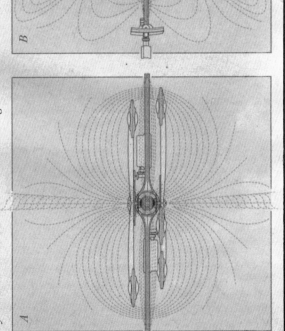

l'assaut du ciel bleu et noir aux franges rouges d'une aube tropicale était saisissant.

– Je vois un avion, Liberty. Il vient juste de décoller.

– Où ça ?

– Là-bas. C'est…

– *Lola*. Quel sale voleur, ce Crozier !

Écartant Becca, elle s'installa aux commandes de l'hydravion, cependant que la jeune fille se faufilait à l'avant de l'appareil.

– On est à l'ouest, il fait encore sombre. On va lui tomber dessus sans qu'il s'en rende compte, déclara l'Américaine en mettant ses lunettes d'aviatrice sur ses yeux.

Elle poussa la manette des gaz à fond et manœuvra l'appareil. Le *Dragon Belliqueux* fila au-dessus des vagues avant de s'arracher à l'eau, puis de s'incliner pour bifurquer. Il grimpait en direction de *Lola*, à l'est, bien visible maintenant dans la lumière de l'aurore qui se levait. Sentant qu'on lui tapotait l'épaule, Becca se retourna. Liberty lui tendait une paire de lunettes.

– Il est coincé, expliqua-t-elle.

En effet, la jeune fille s'aperçut que l'avion était pris dans le vortex, incapable de s'arracher à l'aspiration du champ gravitationnel, malgré ses moteurs lancés à fond.

– Il a décollé trop tard. Ha !

Quand elles furent à cinq cents pieds d'altitude, Becca distingua un cercle presque parfait d'eau bouillonnante autour de l'île.

– C'est là que s'arrête l'influence du générateur, cria Liberty. Tant que nous restons à l'extérieur, nous ne risquons rien. Il y a un sacré zef, mais rien d'inquiétant pour nous.

L'aviatrice monta encore. Au lieu de regagner la sécurité relative de l'*Expédient*, elle se dirigea cependant vers Pembleton-Crozier.

– On va se le choper ! exulta-t-elle.

– Mais le générateur est en train de creuser l'écorce terrestre, objecta sa passagère. Ça va sauter !

– On a encore le temps de lui balancer une ou deux salves. Je vais me l'aborder sur le flanc.

– Ne vaudrait-il pas mieux laisser tomber ? protesta Becca qui n'avait envie que d'une chose, s'éloigner d'ici à tire-d'aile. Vous allez nous tuer tous !

– J'ai un compte à régler, cousine. Personne ne me pique mon oiseau sans en payer les conséquences.

– Regardez le générateur !

Les pales qui tournoyaient étaient à peine visibles dans le tourbillon de détritus et les éclairs électriques. Le vortex en forme de cône étincelait d'une lumière aveuglante. Liberty se rapprocha du mieux qu'elle put de *Lola*, puis brandit son tromblon. Becca distingua Lucretia à l'avant – elle tenait un pistolet. Si elle n'entendit pas le coup partir, elle en vit la lueur. La balle frappa l'avant-bras droit de Liberty, déchirant son blouson d'aviatrice. L'hydravion oscilla dangereusement.

– Nom d'un chien, je suis touchée ! s'exclama la Texane en remontant sa manche pour inspecter les dégâts.

Du sang coulait jusqu'à son coude. Becca s'accrocha, tandis que l'appareil perdait de l'altitude.

– Tu sais quoi, cousine ? Cette leçon de pilotage, j'ai comme l'impression que l'heure est arrivée.

– Comment ça ?

Liberty remonta de quelques dizaines de pieds avant de stabiliser le *Dragon Belliqueux*. Puis elle se leva.

– Voilà un petit tour que j'ai accompli plus d'une fois du temps où je bossais dans un cirque aérien. On va échanger nos places, mais je te conseille d'être rapide, pigé ?

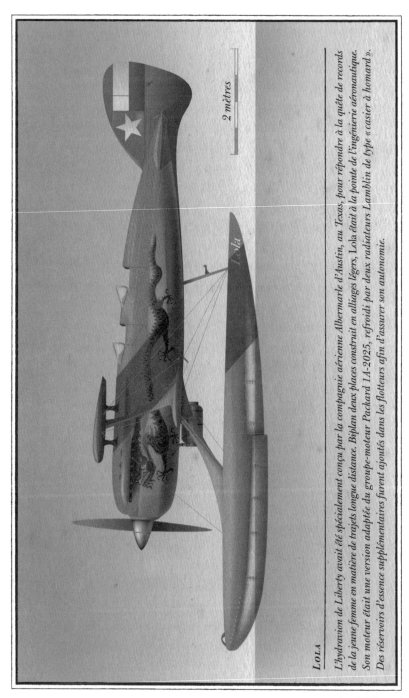

2 mètres

LOLA

L'hydravion de Liberty avait été spécialement conçu par la compagnie aérienne Albermarle d'Austin, au Texas, pour répondre à la quête de records de la jeune femme en matière de trajets longue distance. Biplan deux places construit en alliages légers, Lola était à la pointe de l'ingénierie aéronautique. Son moteur était une version adaptée du groupe-moteur Packard 1A-2025, refroidi par deux radiateurs Lamblin de type « casier à homard ». Des réservoirs d'essence supplémentaires furent ajoutés dans les flotteurs afin d'assurer son autonomie.

L'adolescente contempla le siège du pilote avec réticence. S'y installer à terre était une chose, répéter l'expérience en plein vol en était une autre.

– Allez, bouge-toi, cousine.

Becca se leva et rejoignit Liberty aux commandes. Ce fut juste.

– Là, tu as le manche, et là le palonnier.

L'Américaine posa son arme pour gagner l'avant du cockpit.

– Et maintenant, tâche de rester à niveau et retournes-y, que je lui perce le ventre.

– Pas question. Nous allons droit au bateau.

En dépit du bruit du moteur, le bourdonnement sourd émis par le générateur leur parvint lorsqu'il perça la chambre magmatique du volcan éteint. Soudain, la mer près de la plage parut se cabrer, puis un jet de lave rouge et brûlant jaillit dans le ciel, marquant le début d'une éruption phénoménale.

Le vortex avait accompli son œuvre et fracturé l'écorce terrestre.

Chapitre Dix-huit

Une fois le générateur détruit par l'éruption, le champ gravitationnel se dissipa. Doug revint brusquement à lui et se retrouva nez à nez avec Duchesse. Du sang frais tachait la gueule, les crocs et les griffes de la bête. Elle grondait tout en lui donnant des coups de patte dans l'épaule pour le réveiller.

– Duchesse ! hoqueta-t-il.

Le gros chat ramassa la canne du capitaine, s'approcha de lui et gronda jusqu'à ce qu'il bouge. Le tunnel tremblait de façon alarmante, et les murs vitrifiés commençaient à se fissurer sous la pression de l'éruption.

– Es-tu vivant et en un seul morceau, mon neveu ?

– Je crois. Duchesse doit avoir emprunté les tunnels.

Duchesse réveille le capitaine. Cahier à dessins de Doug. (CDM 4/51)

– C'est donc qu'elle n'est pas si paresseuse, répondit le capitaine en caressant la tête massive de l'animal qui rugit et se mit à arpenter le sol, la queue battant de droite à gauche. Nous devons quitter cette île tout de suite.

Au même instant, de la lave surgit à travers une fissure, à une vingtaine de mètres, son rougeoiement comme une menace dans l'obscurité du conduit.

– Vite !

Doug bondit sur ses pieds et fut aussitôt pris de vertige. Après son malaise, ses jambes étaient lourdes et lentes, mais il se força à pomper des réserves d'énergie cachées en lui. Duchesse ouvrait la marche. Glissant et trébuchant sur la pente lisse du sol, ils regagnèrent la surface, où ils émergèrent en crachant, intoxiqués par les miasmes qui flottaient au-dessus de la mine, ou de ce qu'il en restait. Un jet de lave rouge, haut de cent mètres, jaillissait devant eux. D'énormes pierres incandescentes tombaient en averse, et une poussière épaisse et sulfurique empuantissait l'atmosphère. L'air était si chaud qu'ils reculèrent et remontèrent leurs cabans pour protéger leurs têtes.

– Il n'y a que la mer, Douglas ! Il faut que nous trouvions un bateau.

Le garçon s'aperçut que son oncle souffrait énormément de la jambe.

– Appuyez-vous sur moi, dit-il. Ça vous soulagera.

Se frayant un chemin à travers les bombes de lave qui dégringolaient, ils dénichèrent un sentier qui menait au rivage. Les rares bâtiments qui avaient survécu à l'explosion étaient tout de guingois, éventrés jusqu'aux fondations et penchés en direction du générateur en ruine. Tous flambaient, ajoutant à la touffeur brûlante. Dans la confusion,

Fuyons ! Cahier à dessins de Doug. (CDM 4/52)

les mineurs kalaxx émergeaient des tunnels et se ruaient vers la plage dans l'air chargé de cendres.

– Un bateau, répéta le capitaine. N'importe quoi qui flotte.

Ils s'abritèrent un moment derrière une dépendance à demi écroulée. Tout à coup, les oreilles de Duchesse se dressèrent toutes droites, et elle émit un feulement bas qui fit frissonner Doug. On aurait dit un animal prêt à tuer.

– Du calme, Duchesse, murmura son maître d'une voix apaisante. Qu'as-tu vu ?

Il aperçut la proie, un homme blessé qui courait aussi vite que possible vers la jetée en bois.

– Borelli ! s'exclama-t-il. Où va-t-il ?

– À son sous-marin, sûrement.

– Alors, nous aussi. Il est temps de lui rappeler son serment au Cercle.

Le *Dragon Belliqueux* tanguait dans tous les sens, tandis que Becca s'efforçait de suivre les instructions que lui hurlait Liberty.

– Manche à droite. Non, c'est trop ! Redresse ! Trop encore. Aie des mouvements plus doux. Pédale gauche, cousine. Redresse. Bien.

– Vous allez devoir me remplacer, insista Becca.

– Tu es parfaite. Maintenant, le voleur d'avion est juste derrière toi, sur la droite, alors mets la sauce pendant que j'essaye de le dégommer.

– La jeune fille poussa à fond la manette des gaz, tandis que *Lola*, qui s'était enfin libéré de l'emprise du vortex, rugissait au-dessus de leurs têtes. Penchée hors du cockpit, Lucretia visait Liberty. Instinctivement, Becca tira le manche sur la gauche et fit glisser l'hydravion sous la queue de l'avion, offrant à sa passagère un angle de tir parfait – malheureusement, à cause de son bras blessé, elle n'eut pas la force de soulever le tromblon.

– Recommence. Cette fois, je serai prête. Pédale droite, manche à droite… redresse.

Tandis qu'elles effectuaient un cercle, le volcan subit une deuxième éruption qui expédia une giclée de lave et de roches en l'air. Le *Dragon Belliqueux* fut sérieusement secoué, obligeant l'aviatrice amateur à se débattre aux commandes. La chaleur infernale leur brûla le visage.

– Oublie le volcan et regarde derrière toi, cousine ! cria soudain Liberty.

Lola revenait à l'attaque. Serrant les dents, la Texane assura son tromblon contre son bras et s'apprêta à tirer.

– Tout droit, reste à niveau… reste à niveau, Becca !

Mais au moment où elle appuyait sur la gâchette, une nouvelle onde de choc ébranla l'appareil, et le coup toucha un flotteur et la queue du *Dragon Belliqueux*. Liberty s'affaissa en étouffant un cri de douleur et massa son bras.

Des débris incandescents se mirent à tomber alentour, et l'un d'eux transperça même la toile fine des ailes, y laissant un trou fumant.

– Zut, gronda Liberty. Voilà qui ne joue pas en notre faveur.

Becca virevolta pour tâcher d'éviter d'autres pierres en fusion.

– Qu'est-ce que vous voulez dire ? hurla-t-elle.

– *Lola* a des ailes en métal. Les nôtres sont carrément inflammables. Suis Crozier. Donne tout le jus. Il me reste encore une décharge à tirer.

– On ne pourrait pas tout simplement abandonner ?

– Suis-le ! J'ai un compte à régler.

Becca n'était pas persuadée que le compte en question méritât qu'elles meurent, mais elle obéit et fonça. Liberty expédia une deuxième salve, en vain. Elles n'étaient pas de taille à lutter contre l'avion et son pilote. Pembleton-Crozier agita la main en signe de victoire, vira sur le côté et se dégagea en s'élevant à toute vitesse.

Dégoûtée, Liberty jeta son tromblon sur le plancher, se rassit et posa les pieds sur le bord du cockpit.

– Sale petit voleur, marmonna-t-elle. Il me le paiera.

Soudain, sa colère le céda à l'horreur.

– Becca ! s'exclama-t-elle. L'aile est en feu ! Pose-toi ! Vite !

– *Quoi ?*

– Fais ce que je te dis, et tout se passera bien. Coupe les gaz tout de suite. Bien. Et maintenant, tourne au vent. Incline le nez vers le bas. Hé, doucement ! Laisse-le venir... voilà. Ne t'inquiète pas si la mer te paraît venir droit sur toi, c'est normal. Reste stable... Le manche un peu à droite. Non ! Là, c'est trop. Redresse. Tire le manche, et...

Le *Dragon Belliqueux* amerrit dans une gerbe d'eau qui, au passage, submergea le début d'incendie. Becca coupa le contact, et l'hydravion s'arrêta au bout de sa lancée.

– Tu es une aviatrice-née, ma fille ! C'était presque parfait. En plus, tu as éteint le feu. Incroyable !

Becca remonta ses lunettes sur son front et poussa un gros soupir de soulagement. Elle avait la bouche sèche et se sentait vaguement nauséeuse, soudain. Elle regarda en arrière, vers l'île de la Soufrière. Le volcan crachait une colonne de cendres noire et menaçante.

Brusquement, le souvenir de ce qui était arrivé à Doug lui revint, la frappant de plein fouet. Elle ferma les yeux, le revit dégringoler du camion. Il n'avait pu survivre à une telle catastrophe. C'était tout bonnement impossible.

– Je suis déjà monté sur ce sous-marin, mon oncle.

Ils couraient derrière Borelli du mieux qu'ils pouvaient. Dans la confusion enfumée de l'éruption, l'Italien ne les avait pas repérés. Il sauta à bord avec maladresse et se précipita vers le kiosque tout en hurlant des instructions à son équipage.

– Vraiment ? répondit le capitaine. Tu me surprendras toujours. Ta sœur était avec toi, j'imagine ? Cela s'est passé la nuit où vous avez pris le *Petit Mousse*, hein ?

– Nous pouvons entrer par l'écoutille de la salle des machines, le kiosque ou l'écoutille avant qui mène dans le compartiment des torpilles.

– Alors, allons-y. Ils ont déjà largué les amarres.

Doug et son oncle réussirent à grimper sur la poupe avant que le submersible ne s'éloigne du quai. Le capitaine s'effondra sur le pont, le souffle court, tandis que Duchesse faisait les cent pas alentour.

– Et s'ils plongent ?

– Ils ont mis en route les moteurs diesel. Le vaisseau est beaucoup plus rapide en surface. Reste près de moi, Douglas, je vais avoir besoin de ton aide.

Le capitaine chuchota ensuite un ordre à la tigresse, qui partit en direction de la proue. Puis il tira de sa poche les deux bombes fabriquées par les Sujing.

– Je pense pouvoir affirmer que ces deux engins ne sont pas aussi délicats que Maître Aa le soupçonnait, déclarat-il avec un sourire las. Suis-moi.

Ils filèrent vers l'écoutille de la salle des machines, encore ouverte, et le capitaine descendit sans bruit les échelons. Deux mécaniciens leur tournaient le dos et ne les entendirent pas arriver à cause du vacarme que produisaient les diesels. Fitzroy MacKenzie avança lentement, sa canne-épée dans une main, une bombe dans l'autre. Il tapota l'épaule d'un des hommes de la lame de sa rapière.

– Je suis armé, annonça-t-il. Veuillez me précéder, messieurs.

L'espace était si confiné qu'il était impossible aux marins de riposter. Levant les mains, ils obtempérèrent. De l'autre

MOTEURS DE SOUS-MARINS

Les submersibles de cette époque étaient en général équipés de deux séries de machines. Les principales étaient de puissants diesels (des moteurs à combustion interne inventés par l'ingénieur allemand Rudolf Diesel en 1892). Ils ne pouvaient être utilisés qu'en surface, car ils exigeaient une arrivée d'air constante, nécessaire à la combustion de l'essence dans les cylindres, et ils dégageaient des fumées délétères. Ces moteurs rechargeaient les batteries des machines auxiliaires, électriques, auxquelles on recourait quand le bateau était en plongée, puisque leur fonctionnement n'exigeait pas d'oxygène et qu'elles ne produisaient aucune fumée, ce qui était idéal dans l'environnement confiné d'un sous-marin. Néanmoins, leur autonomie était limitée par les batteries, et elles propulsaient le navire à des vitesses beaucoup plus réduites que les diesels.

côté de la porte étanche, ils tombèrent sur le cuisinier qui était en train de soigner une méchante blessure infligée à son épaule par une pierre de lave. Il s'empara immédiatement d'un couperet à viande, puis se figea en découvrant la bombe.

– On se calme. Bien. Continuons, s'il vous plaît.

Dans la salle de contrôle située sous le kiosque, il y avait quatre hommes. Le capitaine poussa ses prisonniers devant lui mais resta sur le seuil.

– Je vous annonce que je prends le commandement de ce navire, messieurs, déclara-t-il froidement.

Les marins voulurent se jeter sur lui.

– Il a une bombe ! cria le cuisinier, affolé.

– En effet. Qui plus est, elle explosera si je la laisse tomber. Où est Borelli ?

– Sur la passerelle, répondit un homme trapu à l'accent espagnol – le bosco, apparemment –, qui examina avec attention l'engin des Sujing. Je n'ai jamais vu de truc pareil, poursuivit-il en avançant de deux pas.

– Borelli ! appela l'oncle MacKenzie en direction du kiosque. Borelli !

– Fitzroy ? lança la voix surprise de l'Italien.

– Je suis en possession d'un explosif mis au point par les Sujing et je n'hésiterai pas à couler ce bateau si vous ne nous rejoignez pas. Combien d'hommes à bord ? demanda-t-il ensuite au bosco.

Le marin se contenta de rire en croisant les bras. Ses collègues se regroupèrent autour de lui et commencèrent à se rapprocher. À cet instant, Borelli descendit les échelons, empêtré dans ses gestes.

– Dites à votre équipage que je ne plaisante pas, reprit le capitaine.

– Le garçon est avec vous, ricana l'autre. Vous n'oserez jamais.

– Il est membre du Cercle. Il a prêté le même serment que vous et moi. « L'honneur, le devoir ou la mort. »

L'oncle MacKenzie releva la pointe de son épée.

– Je ne vous crois pas, plastronna Borelli. Seul, je ne doute pas que vous passeriez à l'acte. Pas avec le fils de Hamish et Elena à côté de vous.

– Hum, vous avez raison. Mais au fait, laissez-moi vous présenter Duchesse.

La tigresse bondit dans la salle de contrôle et écrasa le savant au sol. Dans la salle étroite, elle paraissait encore plus imposante que d'ordinaire. L'équipage recula, terrifié.

– Il y a une cage avec un verrou dans le compartiment des torpilles, capitaine ! annonça Doug. Ils y tiendront tous. C'est Borelli qui en a la clé.

À coups de rugissements, les poils du cou hérissés, Duchesse conduisit les marins comme du bétail vers l'avant du navire. Borelli s'abritait derrière son bosco. Un homme tenta de filer vers l'écoutille, mais l'animal le plaqua au sol en un rien de temps.

– Tout doux, Duchesse ! Borelli, la clé, je vous prie. Lequel est l'ingénieur en chef ?

– Celui-là, marmonna le savant. Obéissez-lui, ajouta-t-il à l'intention du marin avant de tendre la clé.

Duchesse tournait en rond devant lui sans le quitter des yeux. Le chef des machines s'avança.

– À la moindre tentative de votre part, l'avertit le capitaine, le regard glacial, j'ordonne à ma tigresse de vous attaquer. Compris ?

L'ingénieur opina du bonnet, et l'oncle MacKenzie l'autorisa à retourner à son poste.

Cahier à dessins de Doug. (CDM 4/53)

– Dans la cage, vous autres !

Les marins s'empressèrent de se réfugier derrière la sécurité des barreaux.

– Occupe-toi du verrou, mon neveu.

Les mains de Doug tremblaient si fort qu'il eut du mal à glisser la clef dans la serrure. Soudain, son oncle découvrit les archives entassées derrière les hommes.

– Ce sont les papiers du Cercle ! s'exclama-t-il, outré. Bon sang, Borelli, vous êtes aussi un voleur ?

– Le Cercle est fini, fanfaronna l'autre. Et je suis assis sur ses restes pourrissants. Vous n'arrêterez pas la Coterie. Avec ou sans moi, elle représente l'avenir.

Sans répondre, le capitaine se tourna calmement vers Doug.

– Tu as déjà dirigé un submersible, mon neveu ?

– Pas que je me souvienne, mon oncle.

– Il n'est jamais trop tard pour apprendre.

Le *Dragon Belliqueux* tanguait sur la houle. Après l'avoir mené à un peu plus d'un kilomètre de l'île, Becca avait coupé le moteur. Elle avait trouvé une trousse de premiers secours dans le cockpit et avait entrepris de panser la blessure de Liberty. Elle eut beau serrer le pansement au maximum, il ne tarda pas à s'imprégner de sang.

– Nous voilà bien, cousine, maugréa l'Américaine. Pour dire les choses crûment, nous serons descendues toutes les deux si nous retournons chercher Doug et le 'pitaine.

Becca se détourna et s'affaira à ranger la trousse de soins, les yeux humides.

– Allons, ne t'emballe pas. Ils ont peut-être trouvé un bateau.

– Soyez sérieuse ! s'emporta l'adolescente. Comment Doug aurait-il pu survivre à ça !

Des tonnes de lave et de cailloux continuaient à être éjectées du volcan, des nuages de cendres recouvraient l'île et de la fumée obscurcissait le ciel à des centaines de mètres de hauteur. D'immenses torrents de lave se déversaient dans ce qui avait été le territoire de la mine.

– J'admets que les apparences ne sont pas encourageantes, cousine. Cela ne signifie pas que ton frère est mort. Garde espoir. Doug est un petit terrier obstiné. Et le capitaine ne vaut pas mieux. Nous allons arpenter les alentours, histoire de voir s'il y a quelque chose à faire.

– Vous pensez être en état de voler ? demanda Becca en essuyant ses larmes.

– Je ne suis pas encore au tapis ! Va lancer l'hélice.

Le *Dragon Belliqueux* s'éleva une nouvelle fois dans les airs, et Becca se mit à scruter l'île. Elle n'aperçut personne. Elles effectuèrent un deuxième tour, plus bas, mais Doug était introuvable.

– Impossible de descendre encore ! cria Liberty. Retournons à l'*Expédient*. S'ils ont sauvé leur peau, c'est là qu'ils seront allés.

Elle mit le cap sur l'île Australe. À mi-chemin, Becca distingua une silhouette qui flottait à la surface, accrochée à un pan du toit du bâtiment ayant abrité le générateur. Elle tendit le bras. Liberty coupa aussitôt les gaz et s'orienta sur ce point.

– C'est Doug ?

– Aucune idée. Il est trop loin.

– Je vais me poser.

L'hydravion amerrit une fois encore et s'approcha du corps inanimé.

– C'est Charlie ! s'exclama Becca.

Elle dégringola sur le flotteur, attrapa la poutre en bois et l'approcha.

– Charlie ? Charlie !

– Il est vivant ?

Malgré les appels, le jeune homme ne reprit pas conscience. Ni même quand les filles le hissèrent à bord. Sous l'effort, le pansement de Liberty dégouttait de sang. Elles finirent cependant par réussir à le glisser à l'avant du cockpit. Becca fila redémarrer l'hélice.

CHAPITRE DIX-NEUF

Sur l'île Australe, la bataille avait fait rage toute la nuit. Malgré la défection de leur chef, les Sujing Quantou étaient parvenus à contrer trois offensives majeures des Kalaxx qui n'avaient cessé de se déverser sur la plage. La catapulte de Chambois avait stoppé la première en lançant une bombe meurtrière des Sujing. Les canons récupérés dans la grotte avaient contenu la seconde, traçant de vastes trouées dans la forêt et les troupes ennemies. Certains Kalaxx étaient également tombés dans les pièges de la ligne de défense, ce qui avait dévasté leurs rangs. Mais la troisième attaque avait été la plus dangereuse. Les Kalaxx avaient presque failli prendre le navire d'assaut, forçant les Sujing à délaisser la redoute et à se retirer à bord de l'*Expédient*, toujours coincé sur la plage. Ils s'étaient battus comme des lions, et le vaisseau avait pris des allures de château fort.

L'équipage de l'*Expédient* avait participé aux combats, et le canon de 12 avait montré sa remarquable efficacité. Lorsque l'éruption s'était produite, la bataille avait connu un bref répit, mais les Kalaxx postés sur la péninsule n'avaient pas renoncé. Ils prenaient leur mal en patience, attendant le bon moment pour mettre en branle leur stratégie finale.

À l'aube, une grosse botte kalaxx bloqua un instant la vue de Xu, tandis qu'un mineur grimpait furtivement sur le rocher derrière lequel le petit groupe s'abritait. Il était suivi de trois camarades. Xu et Xi retinrent leur souffle, cependant que Maître Aa ramassait ses sabres. Mais les Kalaxx portaient toute leur attention sur le bateau. Ils avancèrent en rampant et se déployèrent sur la saillie qui se trouvait sous la cachette des quatre Sujing.

– Les Kalaxx de la péninsule s'apprêtent à lancer l'assaut contre l'*Expédient*, chuchota Maître Aa.

– Si seulement on pouvait prévenir le bateau, s'impatienta Xi en contemplant le vaisseau échoué. On va encore rester longtemps ici ? Pourquoi n'y allons-nous pas ?

– Parce que nous devons protéger les 99 *Éléments*.

– Nous avons passé la nuit ici, Maître ! J'en ai assez de rester sans bouger à regarder les autres lutter pour sauver leur peau.

– Il n'existe pas de plus grand honneur que garder ces manuscrits, Xi. Même si mon cœur est également déchiré. Il m'est difficile, en tant que supérieur des Sujing Quantou, de voir mes guerriers, ceux que j'ai choisis et entraînés, combattre sans moi. Pourtant, cette boîte renferme des secrets qu'il faut préserver à tout prix. Elle contient tout ce que notre Ordre a toujours défendu, tout ce que nous nous sommes efforcés de sauvegarder. Tu dois oublier tes camarades.

– Mais nos frères et nos sœurs vont mourir…

À cet instant, un détachement de Kalaxx surgit du couvert, quelque part près du cimetière, et fonça à travers la plage, jusqu'au bateau. Les hommes en embuscade devant les jumeaux ouvrirent le feu, arrosant la poupe du navire. Le canon de 12 tâchait de tourner le plus vite possible, mais les Kalaxx dominaient largement. Des tirs de mortier atterrirent près de la gouverne et explosèrent avec fracas, provoquant une tempête de sable. Un autre détachement ennemi de trente mineurs dégringola de la redoute pour prêter main-forte aux premiers assaillants.

– Les Kalaxx ont fabriqué des échelles en bambou, remarqua Xu d'une voix à peine audible dans le vacarme des mitrailleuses. Ils sont en train de donner l'assaut à l'*Expédient*. Nous devons *absolument* aller aider, Maître Aa. Je vous en supplie.

Les attaquants entrèrent dans l'eau et positionnèrent leurs échelles contre la coque. Les Sujing Quantou et l'équipage se précipitèrent pour les repousser, mais, déjà, des Kalaxx avaient réussi à aborder par le balcon du capitaine, à l'arrière du bâtiment. Deux Sujing luttèrent pour les envoyer à terre, mais, dépassés par leurs adversaires, ils furent contraints de se replier à l'intérieur du vaisseau. Quelques instants plus tard, des dizaines de Kalaxx avaient escaladé la dunette et, après une mêlée au corps à corps, ils s'emparèrent du canon de 12. Les lames tournoyantes des glaives luirent au soleil matinal tandis qu'ils assuraient leur position. Le combat était intense et impitoyable, et les combattants animés par le désir d'assouvir de vieilles rancunes poussaient des cris de guerre ancestraux qui résonnaient dans toute la baie. Une nouvelle vague de mineurs déferla sur la plage.

– Nous sommes en train de perdre l'*Expédient*, s'écria Xi. Il faut réagir !

Xu attrapa son frère par le bras et lui montra le chenal étroit, dans lequel la silhouette menaçante d'un sous-marin approchait de l'anse.

– C'est fini ! se lamenta-t-il. Nous sommes coincés.

– Tout n'est pas perdu, objecta Maître Aa avec un sourire. Regardez qui est aux commandes.

– Doug ? Oui, c'est bien lui ! s'esclaffa Xi. Et Duchesse est à l'avant comme une figure de proue.

– *Sujing Cha* ! s'égosilla Xu.

– Maintenant, nous avons une chance de sauver les *99 Éléments*, décréta leur chef. Préparez-vous au combat.

Dans la paire de jumelles qu'il avait dénichée à bord du submersible, Doug vit Mme Ives traîner des boîtes de munitions sur le pont.

– Voilà qui est hasardeux, murmura-t-il dans sa barbe.

Le ciel était peu à peu obscurci par la fumée et les nuages de cendres qui, rejetées par le volcan voisin, tombaient comme de la neige sale. Se penchant en avant, le garçon approcha sa bouche du tube acoustique relié à la salle de contrôle.

– Nous sommes dans la baie, capitaine. L'*Expédient* est toujours sur la plage. Il est pris d'assaut par les Kalaxx !

– Vérifie que nous pouvons tourner, Douglas.

– C'est bon, mon oncle… euh, capitaine, répondit le cadet des MacKenzie après avoir regardé devant et derrière.

Une pierre incandescente s'écrasa dans l'eau en fumant.

– Parfait ! Envoie un message à l'*Expédient*. Préparez-vous à être remorqués.

– À vos ordres !

Doug s'empara d'une lampe de détresse et la brandit en direction du bateau échoué. Il appuya plusieurs fois de suite sur le bouton latéral pour envoyer en morse l'avertissement du capitaine. Le sous-marin commença à faire demi-tour.

La bataille pour reprendre le canon de 12 s'était intensifiée sous l'effet d'une contre-offensive commune des guerriers Sujing et de l'équipage du navire. À l'aide de grappins, les échelles des assaillants étaient repoussées à la mer, la hauteur de l'*Expédient* jouant en sa faveur. Soudain, une rafale de mitraille frappa la coque et le kiosque du sous-marin, et Doug n'eut que le temps de se coucher, sauvé par son instinct.

– On nous tire dessus depuis la péninsule, capitaine! hurla-t-il dans le tube acoustique.

– Mille sabords! Couche-toi!

Le submersible termina sa manœuvre et s'arrêta à une trentaine de mètres de l'*Expédient*. L'oncle MacKenzie émergea de l'écoutille pour jauger la situation. Quatre hommes plongèrent du bateau échoué et nagèrent rapidement vers eux. Cinq minutes plus tard, Glouton fixait un filin de halage aux taquets du submersible, tandis que ses camarades se précipitaient vers le kiosque.

– La Flèche, trouvez des munitions et activez-moi le canon de pont! Sam, filez à la salle de contrôle et prenez la barre. Frankie, aux machines, et vite!

– Filins de halage amarrés! cria Glouton.

– Très bien. Rejoignez Sam. Nous allons sauver notre *Expédient*.

Xi fut le premier à repérer la nouvelle menace représentée par les Kalaxx qui avaient évacué le territoire de la mine après l'éruption du volcan et approchaient désormais de la plage en bateau.

– Ils viennent au secours de leurs frères, dit le garçon. L'*Expédient* n'y résistera pas.

– Il faut que nous arrivions là-bas avant eux. À nous de jouer.

– Oui, Maître.

– Le destin des Sujing repose sur nos épaules. Ces chapitres

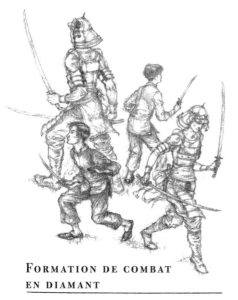

FORMATION DE COMBAT EN DIAMANT

Il s'agissait d'une manœuvre permettant à un petit groupe de guerriers de se défendre de tous côtés. Une des 33 formes de combat secrètes.

retrouvés des *99 Éléments* ne doivent pas tomber aux mains des Kalaxx. L'honneur de notre tâche renforcera nos aptitudes guerrières et allumera le feu de la victoire dans notre sang.

Les jumeaux hochèrent la tête comme un seul homme.

– Nous adopterons la formation de combat en diamant.

Sur ce, Maître Aa sortit de leur cachette, suivi par Xu, Xi et Ba'd Ak. Deux coups de glaive bien ajustés suffirent à avoir raison des Kalaxx qui mitraillaient la plage. Ba'd Ak réduisit en miettes ceux qui tenaient le mortier grâce à deux étoiles à lancer. Puis les Sujing se mirent en position et descendirent le sentier.

– Dites à Herr Schmidt de pousser les machines à fond ! hurla le capitaine en direction de l'*Expédient*.

Le Clown agita la main pour montrer qu'il avait saisi, avant de plonger dans le poste de commandement. Le canon de pont du sous-marin ouvrit le feu sur la péninsule.

– En avant toute ! lança le capitaine dans le tube acoustique.

Les diesels rugirent aussitôt, le bateau s'ébranla, et le filin de halage se tendit.

– Plus de jus ! ordonna l'oncle MacKenzie.

Les hélices firent bouillonner l'eau avec tellement de force que le submersible tangua. De leur côté, celles de l'*Expédient* se mirent en route, prenant les assaillants kalaxx au dépourvu. Impossible cependant de déterminer si la manœuvre fonctionnait. Certes, le câble était tendu à se rompre, et le sous-marin déviait sur tribord. Doug sentit la coque vibrer sous ses pieds au fur et à mesure que Frankie le Foudre poussait les moteurs. À la proue, l'eau n'était plus qu'un nuage d'écume blanche, auquel se mêlaient les nuages noirs recrachés par les multiples pots d'échappement.

Tout à coup, une déflagration étouffée retentit sous l'*Expédient*. La proue du navire trembla, puis se souleva, de la fumée s'échappa des hublots des cabines arrière, et l'hélice bâbord ralentit avant de s'arrêter définitivement. Pourtant, le nez du bateau retomba, puis fendit l'eau lentement.

– Opération réussie ! cria le capitaine à Frankie. Ralentissez ! Problème à bâbord.

Les deux navires glissèrent dans la baie.

– Par le travers.

– Qu'est-ce que c'était, cette explosion ? demanda Doug.

– On aurait dit de la dynamite. Dans l'arbre de l'hélice, apparemment. Les Kalaxx l'y auront mise. En tout cas, le souffle de la déflagration a libéré l'*Expédient* du sable.

À présent, les Kalaxx sautaient du bateau et regagnaient la plage à la nage,

FRANKIE LE FOUDRE

Frankie le Foudre était né à Swift Current (ou Courant Rapide), dans le Saskatchewan, au Canada. Il se référait toujours à sa ville natale par son surnom local, « Rivière Foudroyante », si bien que l'équipage attribua naturellement – et de manière expéditive – ce trait de caractère à Frankie lui-même.

Les Kalaxx sautant de l'Expédient. Cahier à dessins de Doug. (CDM 4/62)

cependant que leurs camarades battaient en retraite vers les embarcations de leurs renforts.

– Nous devons nous éloigner le plus possible du volcan. Dix degrés à tribord.

Doug inspecta les lieux à travers ses jumelles. Il distingua l'éclat d'une lame et pria pour que sa sœur soit en cet instant en train de voler loin de l'île de la Soufrière, en compagnie de Liberty.

– Je n'y vois rien ! gronda Liberty en essuyant ses lunettes.

Alourdi par la cendre qui ne cessait de retomber, le *Dragon Belliqueux* était de moins en moins maniable.

– Ils sont sûrement en bas.

Une trentaine de mètres en dessous, les deux aviatrices aperçurent l'*Expédient* qui, remorqué par le sous-marin, quittait la baie pour la haute mer, à mi-chemin du chenal. Liberty plongea, et des hommes sur le pont agitèrent la main. Becca reconnut son frère et son oncle près du kiosque du submersible.

– Regardez, Liberty ! Ils s'en sont sortis !

– Je te l'avais bien dit, non ? Ce sont ces fichues chaussettes, j'en suis certaine. Nous allons nous poser à l'autre bout du canal, et nous les retrouverons là-bas.

L'hydravion vira sur le flanc et survola l'anse déserte. Becca vit les Kalaxx qui poussaient leurs embarcations à l'eau également. Soudain, elle distingua quatre silhouettes familières se battant contre la vingtaine d'ennemis qui les avaient encerclées. Xu, Xi, Maître Aa et Ba'd Ak. Liberty, qui les avait repérés elle aussi, bifurqua pour revenir au-dessus d'eux.

– On va leur filer un coup de main ! brailla-t-elle. Je vais amerrir. Toi, tu tourneras le coucou, puis tu prendras ma place aux commandes. Je laisserai le moteur en marche.

Coupant les gaz, l'Américaine ralentit avant de se poser dans une gerbe d'écume salie de cendres. Elle accéléra pour que l'hydravion glisse jusqu'à la plage, puis se leva, son tromblon rechargé en appui sur son bras blessé.

– À toi de jouer, Becca ! cria-t-elle en sautant sur la plage.

Elle tira une première salve en l'air, histoire d'attirer l'attention des Kalaxx. L'arme, bourrée de la poudre spéciale des Sujing Quantou, cracha une flamme bleue et blanche haute de neuf mètres, envoyant Liberty sur les fesses. Se relevant aussitôt, la jeune femme braqua sa pétoire sur les mineurs.

– Liberty da Vine, se présenta-t-elle. Ravie de faire votre connaissance. Et voici mon pote, le Libérateur, poursuivit-elle en caressant son fusil. Kalaxx ! Crozier vous a bien eus. Il est parti en vous laissant griller sous des tonnes de lave.

Cette île va sauter, elle aussi. Alors, déguerpissez pendant que vous en avez encore l'occasion.

Au même moment, une pluie de pierres enflammées s'abattit sur le sable. L'une d'elles toucha un mineur, et ses camarades se figèrent sur place, médusés.

– Une autre fois, Maître Kouïbychev ! plaida Maître Aa à son tour.

L'immense chef des Kalaxx leva son épée en signe d'armistice, et les deux hommes s'inclinèrent l'un devant l'autre. Ensuite, Maître Kouïbychev tira le gyrolabe du nord de sous son manteau, et son visage dur se fendit d'un sourire.

– Après cinq siècles d'attente, nous avons enfin récupéré ce qui nous appartenait de droit, déclara-t-il.

Le supérieur des Sujing Quantou hésita. L'engin, autrefois dans la cabine du capitaine, était désormais aux mains de son ennemi. Malheureusement, un combat pour le reprendre était impensable, car son issue ne faisait aucun doute – la mort pour les quatre Sujing.

– Hé, Maître Aa, décidez-vous ! le héla Liberty.

– À l'avion ! ordonna-t-il.

Becca avait réussi à tourner le nez de l'appareil vers le large. Le moteur ronronnait en crachotant. Elle espérait qu'il ne calerait pas une fois tout ce monde embarqué. Voyant ses amis arriver au petit trot, elle assura sa prise sur les commandes.

Le *Dragon Belliqueux* tangua lorsque ses passagers grimpèrent sur les flotteurs. Xu et Xi sourirent à Becca, tandis que Maître Aa et Ba'd Ak rengainaient leur sabre pour pousser l'hydravion surchargé dans des eaux plus profondes.

– Bienvenue à bord ! s'exclama Liberty. Votre pilote aujourd'hui est Mlle Becca MacKenzie, la toute dernière aviatrice au monde.

Seul cliché existant de Maître Kouïbychev.

MAÎTRE KOUÏBYCHEV

*Le célèbre Kouïbychev usurpa la primauté de l'ordre des Kalaxx après avoir
combattu ses rivaux jusqu'à la mort dans un combat à mains nues, comme
l'exigeaient les rites sanguinaires de la tradition kalaxx. Une fois en place,
il se lança dans une impitoyable campagne d'extraction (or et diamants)
en Afrique, ce qui rapporta à son ordre à la fois une richesse énorme et
une condamnation générale de ses méthodes dignes de mercenaires criminels. Un
journal sud-africain fut le premier à enquêter sur la rumeur selon laquelle Kouïbychev
avait ordonné le dynamitage de cinq villages africains – habitants compris – afin
d'exploiter un gisement aurifère particulièrement prometteur. L'article le décrivait
comme « un géant russe mesurant plus de deux mètres, aux yeux pâles et froids, doté
d'un regard qui ne cille pas et donne la chair de poule à tout malheureux ayant
la malchance de croiser sa route ». D'autres récits semblent reposer sur des rumeurs
fantaisistes et des racontars infondés. Un autre journal prétendit ainsi que Kouïbychev
avait quinze femmes et buvait du sang de bœuf au petit déjeuner ; un troisième affirma
qu'il ne dormait jamais et qu'il avait une telle emprise sur les forces occultes qu'il
pouvait « citer à comparaître les fantômes aussi aisément qu'un juge les criminels ».*

Prenant une grande aspiration, Becca poussa le manche, et l'appareil prit de la vitesse. Elle savait qu'il ne parviendrait jamais à décoller. La surface était recouverte de tellement de débris envoyés par le volcan qu'elle paraissait figée. Mettant ses lunettes sur ses yeux, la jeune fille prit le chemin du chenal.

CHAPITRE VINGT

Cahier à dessins de Doug. (CDM 4/73)

Dans le ventre du sous-marin, Charlie gisait sur une couchette, immobile. Becca tenait dans la sienne sa main élégante qui était froide et comme privée de vie.

– Charlie, chuchota-t-elle, si vous m'entendez, serrez mes doigts.

– Charlie ? renchérit Doug. Dites quelque chose !

À cet instant, Mme Ives surgit en compagnie de l'oncle MacKenzie.

– Ouste, vous deux ! De l'air ! Je ne sais pas s'il est vivant, capitaine.

– Il respire ?

La cuisinière approcha une plume devant le nez du blessé. Un très faible mouvement l'agita.

– Oui ! s'écria-t-elle, soulagée.

– Laissons-le se reposer, murmura le capitaine.

– Pourquoi s'est-il rendu sur l'île de la Soufrière ? demanda Becca. Pourquoi a-t-il cru que Pembleton-Crozier l'écouterait ?

– Parce qu'ils sont frères. En dépit de tout, Charlie aime Julius. Il pensait pouvoir le persuader.

– Frères ! s'exclama Doug.

Soudain, tout se mettait en place. Lui revint en mémoire leur conversation durant la partie de pêche. *Tel est l'ennui, avec les f-frères et sœurs. Ce s-sont, de t-tous les êtres, les m-mieux à même de t'exaspérer.*

– Charles Pembleton-Crozier ? s'étonna Becca. Charlie l'Aristo ?

– Oui, admit son oncle. Charlie n'a pas compris qu'il était trop tard, que son aîné avait perdu la tête. Enfin, jusqu'à ce qu'il découvre le générateur.

Mme Ives borda le jeune homme et éteignit la lampe.

– Il faut qu'il dorme, décréta-t-elle. Rien de tel pour récupérer.

– Et maintenant, un autre ami attend qu'on s'occupe de lui, déclara le capitaine. Rebecca, Douglas, suivez-moi.

Sur le pont du submersible, l'air était merveilleusement pur et dégagé. Ils se trouvaient maintenant à dix nœuds nautiques du volcan. L'*Expédient* gisait à un demi-kilomètre de là, abandonné à son sort, débarrassé de tout ce qui pouvait se révéler utile ou précieux. Il s'enfonçait du côté de la poupe, sur le flanc bâbord. Le dynamitage de l'arbre de l'hélice par les Kalaxx avait ouvert une brèche dans la salle des machines. Il n'y avait plus d'espoir.

Doug ajusta ses jumelles et contempla le navire en perdition. L'eau atteignait maintenant le hublot de son ancienne cabine et le balcon du capitaine. Il s'imagina le niveau qui montait lentement, à mesure que la mer exigeait sa proie. Il était ému. Il avait espéré faire le tour du monde à bord de l'*Expédient*. Désormais, ce n'était plus qu'un rêve qui ne se réaliserait pas. Comme tant d'autres. Le garçon se détourna.

Des caisses de livres et d'objets récupérés à bord du bateau en perdition encombraient le pont du sous-marin, en attendant qu'on les transporte en bas. Le *Dragon Belliqueux* flottait à côté. Chambois et Frankie le Foudre s'affairaient à en réparer les ailes transpercées, pendant que Liberty chargeait des bidons d'essence.

– Hé, 'pitaine! lança-t-elle. Merci de m'avoir donné l'avion et la carte.

– C'était la moindre des choses, mademoiselle da Vine. Où comptez-vous aller, si je puis me permettre?

– À Manille, je suppose. Les Pétroles da Vine ont une équipe d'exploration, là-bas. Avec de l'essence et un bon vent arrière, je devrais y être d'ici deux jours. Mme Ives m'a donné tout ce qu'elle a pu, en matière de vivres, mais mon vieux papa a intérêt à me payer le palace le plus luxueux de Manille.

– Et voilà, Liberty! annonça Chambois en redescendant sur le flotteur. Tous les trous sont bouchés. Vous êtes sûre de ne pas vouloir attendre demain matin?

– Pourquoi donc? Alors que j'ai un coucou et un ciel tout bleu à ma disposition?

– C'est juste que je me disais…

– Vous n'espérez tout de même pas que je parte en croisière sur ce rafiot! répliqua la Texane en désignant le sous-marin. *Au revoir, Luc*[16].

16. En français dans le texte. *(N.d.T.)*

Sur ce, elle sauta dans le cockpit et mit ses lunettes.

– À bientôt, 'pitaine, poursuivit-elle. Quant à vous, Becca et Doug, levez un peu le pied. La prochaine fois, je ne serai pas là pour vous tirer d'affaire. Retournez à l'école, et tout le tralala.

Cahier à dessins de Doug. (CDM 4/78)

Frankie lança l'hélice de l'hydravion, et le moteur rugit. Liberty boutonna son blouson et accéléra. Le marin sauta sur le pont du submersible et repoussa le *Dragon Belliqueux*. L'aviatrice salua de la main avant de se diriger nez au vent et de mettre les gaz. Le cœur lourd, les enfants MacKenzie agitèrent le bras. Sans Liberty, les choses ne seraient plus les mêmes. L'appareil tangua et rebondit sur les vagues, puis il s'éleva. L'Américaine repassa au-dessus du bateau, et quelque chose atterrit aux pieds de Becca – une paire de lunettes d'aviateur. Enfin, Liberty s'éloigna et ne fut bientôt plus qu'un point dans l'immensité du ciel.

– Une femme de caractère s'il en est, commenta le capitaine. Mais fort utile dans les situations difficiles, je dois le reconnaître. A-t-elle emporté son tromblon ?

– Oui, dit Becca.

– Elle risque d'en avoir besoin. La route est longue, jusqu'à Manille.

Au loin, une nouvelle et violente éruption du volcan les interrompit. Tous se tournèrent pour regarder la lave qui jaillissait du cratère.

– Un spectacle des plus magnifiques, n'est-ce pas ? reprit le capitaine.

– Oui, mon oncle.

– Qui détruit l'abomination inventée par la Coterie. On ne plaisante pas avec la nature. Pas quand on est du même acabit qu'un Pembleton-Crozier.

– Nous ne risquons plus rien, à cette distance, précisa Chambois.

– En effet, répondit l'oncle MacKenzie d'une voix à peine audible. Mme Cuthbert, appela-t-il ensuite en se redressant. Il est l'heure.

La veuve s'approcha à grands pas, suivie par sa chorale quelque peu échevelée et certains autres otages.

– C'est bon ? s'enquit-elle, les yeux brillants. Désirez-vous un mouvement en particulier ?

– Le *Dies iræ*, finit par dire le capitaine après avoir contemplé le volcan.

Mme Cuthbert releva la tête, dévisagea ses chanteurs les uns après les autres pour s'assurer qu'ils étaient prêts, puis ouvrit la bouche. Avec une puissance étonnante, le chœur entonna le requiem de Mozart, et les mélancoliques harmonies volèrent au-dessus de la mer et nimbèrent l'*Expédient* d'une aura de fierté triste. Se penchant sur le tube acoustique, le capitaine lança :

– Feu !

Deux torpilles jaillirent de la proue du sous-marin et filèrent vers le bateau. Lorsqu'elles explosèrent, un nuage de fumée bleue caractéristique du zoridium s'éleva. La coque fut soulevée en l'air et se brisa en deux comme un jouet tandis que le chœur poussait la note finale.

Stupéfait, Doug observa l'*Expédient* qui retombait dans une grande gerbe. Les deux morceaux chavirèrent, émettant une sorte de dernier souffle quand l'eau s'y engouffra, et se mirent à couler. L'ultime partie à sombrer fut l'étrave, qui s'enfonça lentement, tel l'aileron d'un requin. La mer bouillonna pendant un moment, puis la surface se referma et s'apaisa – à croire que l'*Expédient* n'avait jamais existé.

Longtemps, personne ne prononça une parole.

– C'était un bon bateau, finit par déclarer le capitaine en repoussant sa casquette en arrière, le regard fixe. Un ami. Le perdre, ainsi que le gyrolabe, et ce le même jour…

Il s'interrompit. Becca n'avait jamais vu son oncle aussi affligé. Tout à coup, une idée la frappa.

– Je croyais que tu avais déconnecté les commandes des torpilles, chuchota-t-elle à l'oreille de son frère.

– Je les ai rebranchées sitôt à bord. Je pensais pouvoir les utiliser contre les Kalaxx. Après tout, c'était moi qui dirigeais le bâtiment.

Becca ouvrait déjà la bouche pour moucher le petit prétentieux, mais elle changea d'avis.

– Bien sûr, Doug, répondit-elle à la place en souriant. J'avais oublié.

Journal de Becca : 12 mai 1920
À bord du sous-marin

Je suis sur le pont, un vent léger souffle. En bas, c'est le chaos, puisqu'il a fallu tout entasser. La place manque, et c'est humide, surpeuplé, angoissant. Il n'y a nulle part où s'asseoir non plus, bien que j'aie eu la chance qu'on m'attribue une couchette. La malchance, c'est que nous allons devoir dormir à tour de rôle. Quand ce ne sera pas moi, Doug prendra ma place – en théorie du moins. « Tu seras obligée de partager ma puanteur ! » s'est-il exclamé, ravi, en brandissant ses chaussettes répugnantes sous mon nez. Comment ont-elles réussi à survivre ? Une fois encore ! Au fur et à mesure que je reconsidère les événements de ces dernières semaines, force m'est cependant d'admettre qu'elles ont en effet, et peut-être, quelque chose d'un talisman.

J'ai confié les livres de déchiffrement et le message de Mère au capitaine, dès que l'Expédient a eu coulé. J'ai aussi expliqué les vraies raisons qui nous ont poussés à filer en douce sur l'île de la Soufrière. Notre oncle s'est contenté de hocher la tête avant de les donner à la Friture. La triste vérité, c'est que nous ne sommes pas capable de lire la missive secrète tout seuls, et ce qui vient de se passer nous a convaincus que le capitaine était de notre côté.

J'ai réussi à en apprendre plus sur la façon dont le gyrolabe du nord nous a été dérobé. Lorsque les Kalaxx ont pris d'assaut la poupe de l'Expédient, une bataille féroce s'est engagée sur le deuxième pont, dans le carré du capitaine. Par crainte que les mineurs ne fassent exploser une bombe ou ne mettent le feu au navire, M. Ives et trois Sujing se sont démenés pour retirer le gyrolabe de son coffre-fort. Malheureusement, à cet instant, les Kalaxx ont dynamité les entrailles du bateau. Le gyrolabe a échappé au bosco, qui est tombé par terre, à demi assommé, et un Kalaxx s'est emparé de l'appareil. Le capitaine les a néanmoins félicités pour l'audace de leur tentative, ce qui n'empêche pas M. Ives d'avoir l'air déprimé et mécontent de lui-même.

J'ai perdu deux choses qui m'étaient chères, aujourd'hui. Liberty et l'Expédient. Deux amis exceptionnels. La cabine numéro cinq a disparu à jamais. Le vaisseau était comme une deuxième maison, il repose désormais par le fond. Cependant, j'ai gagné quelque chose en échange. Une nouvelle passion pour le pilotage. Je veux commencer à prendre des cours maintenant. Diriger cet engin était terrifiant, mais je sais par-devers moi, sans que j'aie besoin d'y réfléchir, que je suis faite pour voler.

Une fois encore, notre avenir semble incertain. S'étalent devant nous la haute mer et un océan de possibilités. Mais Liberty a raison. Les bateaux sont lents. Comme j'aurais aimé pouvoir l'imiter et m'envoler.

Chapitre Vingt et un

Il était difficile de toquer à la porte du capitaine, puisqu'elle ne consistait qu'en un rideau de velours. Becca et Doug savaient cependant que Duchesse était de l'autre côté, et ils avaient appris leur leçon depuis un moment déjà.

– Capitaine ? appela timidement Doug. Vous souhaitez nous voir ?

– Oui. Entrez !

L'oncle MacKenzie était occupé à parcourir le journal de bord du sous-marin, visiblement à l'aise dans son nouvel environnement. Duchesse était étendue sur la couchette, les yeux fermés mais les oreilles en alerte.

– Désolé, il n'y a nulle part où s'asseoir. Duchesse !

La tigresse ouvrit un œil.

– Pousse-toi un peu. Va donc prendre l'air, tiens.

Avec un feulement contenu, l'animal se laissa tomber du lit et quitta la pièce d'un pas lent, sa queue fouettant l'air.

– Prenez sa place. Je reconnais qu'on est loin de la cabine de l'*Expédient*…

Le capitaine s'interrompit, avant de reprendre un instant plus tard :

– Comment trouvez-vous notre nouveau bateau ? Plutôt étroit, non ?

– Est-ce qu'on va plonger ? demanda avidement Doug. À combien de profondeur ?

– Les submersibles de ce type sont réputés pour leur manque de fiabilité en plongée. Je ne suis pas pressé d'essayer. Jusqu'à maintenant, nous avons bien avancé.

– Pour où ? s'enquit Becca.

– Singapour. Bon, ce mot de votre mère.

Le capitaine ouvrit le tiroir de la table et en sortit le message décodé par la Friture.

– Pembleton-Crozier l'avait bien traduit ?

– Pour l'essentiel… oui. Vous avez eu raison de me l'apporter.

Il tendit le papier à sa nièce.

COTERIE RESURGIE. SE MÉFIER DU CS SAUF FITZROY ET SON ÉQUIPAGE. LE CONTACTER DE SUITE. IL DOIT EMPÊCHER LA COTERIE CONTINUER EXTRAIRE FDS DES MINES TEMBLAS DANS MER DE CÉLÈBES POSITION 03 DEG 05 MIN 10 SEC NORD 125 DEG 10 MIN 40 SEC EST.

PARTONS AU XINJIANG VIA NÉPAL AFIN RETROUVER CAPULUS ET UR-CAN. AUTRE BUT COTERIE. CAPULUS ALLIÉ AU COSAQUE RUSSE GÉNÉRAL POUGATCHEV. A LAISSÉ FAUSSE PISTE. AURONS AIDE SUJING À KHOTAN.

H ET E

– Qui est ce Capulus ? voulut savoir Becca.

– Un Russe. Enfin, nous le croyons. Votre père affirme qu'il se faisait passer pour un négociant en cinabre de Samarkand.

– Père l'a rencontré ?

– Oui, il y a des années. En 1912, il a contacté vos parents avec une copie de hiéroglyphes temblas provenant d'après lui des murs d'Ur-Can. Il proposait de les vendre.

– Ainsi, il saurait où est située la citée perdue ?

– Difficile d'en être sûr. Il en a dit très peu.

– Pourquoi nos parents ? demanda Doug.

– Parce que votre mère est une linguiste réputée. Vos parents ont acheté cette copie pour le Cercle, puis Elena a consacré la majeure partie de son temps à tenter de déchiffrer le sens des symboles temblas. Pour ce que j'en ai compris, c'était un travail lent et pénible. Ses lettres m'ont laissé entendre qu'elle avait cependant réussi à progresser vers l'été 1915. Elle était vouée au secret et ne pouvait m'en dire plus dans sa correspondance.

– Je me souviens, intervint Becca. Mère y travaillait nuit et jour.

– Avez-vous jamais vu la traduction qu'elle en avait faite ? lança Doug.

– Non, soupira son oncle. Mes propres recherches m'ont tenu éloigné du cœur des choses durant de longues années. Les travaux de votre mère étaient considérés comme tellement vitaux qu'ils étaient enfermés dans les coffres-forts du Cercle à Florence. Je ne suis pas retourné en Italie depuis au moins cinq ans.

– Borelli a eu accès à la traduction, lui.

– Oui. Il lisait ce qu'elle expédiait à l'état-major du Cercle. Vos parents ne soupçonnaient pas… *je* ne soupçonnais pas que Borelli était de mèche avec Pembleton-Crozier. Il était le directeur scientifique de l'organisation ! La Coterie a dû s'allier aux Kalaxx peu de temps après que votre mère a eu identifié l'archipel comme le site des mines temblas. Avec de nouvelles réserves de zoridium, Borelli pouvait commencer sa dangereuse quête de célébrité.

– Pourquoi le Cercle n'a-t-il pas lancé sa propre expédition ?

– Toutes les missions ont été suspendues pendant la Grande Guerre. Pembleton-Crozier ne risquait donc pas d'être découvert. Mon bateau était le seul vaisseau à même de partir pour se lancer dans de telles aventures. Comme vous le savez, j'étais dans l'Antarctique.

– Donc, Capulus pourrait avoir une idée de l'endroit où sont Père et Mère ? réfléchit Doug.

– C'est envisageable. Liberty était en affaires avec lui, et Julius essayait de lui acheter des informations sur Ur-Can. Je regrette de n'avoir pas interrogé plus avant cette jeune Américaine.

– Nous devons partir immédiatement pour Samarkand ! décréta Becca, péremptoire.

– Pardon, s'esclaffa l'oncle MacKenzie. Pas question que l'un de vous s'approche de Samarkand et encore moins du Xinjiang. Vous venez de vivre suffisamment d'épreuves pour le reste de votre existence. Privé de l'*Expédient*, je ne suis pas en mesure de remplir notre contrat concernant votre éducation. J'envisageais de t'envoyer à Florence, Douglas, maintenant que tu as prêté serment, mais le Directoire n'est plus digne de confiance. J'ai l'intention de partir en personne à la recherche de vos parents. Cependant, le voyage est trop risqué pour que vous m'accompagniez. Jusqu'à présent, vous avez eu de la chance. Mon expérience me dit qu'il ne faut jamais pousser sa chance. Vous allez devoir retourner à San Francisco.

– S'il vous plaît, non ! Pas tante Margaret. Pas après tout ce que nous venons de subir.

– Je n'ai pas le choix. Comme dit Liberty, vous feriez bien d'apprendre à aller à l'école. Le sujet est clos.

Xu et Xi essayaient de réconforter leurs amis. Tous quatre étaient assis en tailleur sur le pont et regardaient le soleil se coucher à l'horizon. Doug semblait fatigué et abattu.

– Nous n'en avons donc pas assez fait? C'est nous qui avons trouvé la trirème, le gyrolabe du sud et les 99 *Éléments*.

– Insuffisant pour le capitaine, maugréa sa sœur, furieuse. Apparemment, le Cercle s'est bien servi de nous, sans rien nous donner en échange.

– Nous chercherons vos parents quand nous serons au Xinjiang, promit Xi.

– Quoi? s'exclama Doug, ahuri. Vous y allez, vous?

Xi détourna la tête, gêné.

– Euh… oui, admit Xu, embêté. Nous sommes censés nous soumettre aux épreuves traditionnelles de Khotan pour devenir des guerriers Sujing Quantou à part entière.

– Alors, comme ça, tout le monde y va, sauf nous, marmonna le cadet des MacKenzie, dégoûté.

Becca supportait mal la perspective de perdre deux amis supplémentaires et de se retrouver avec tante Margaret comme lot de consolation.

– Franchement! fulmina-t-elle. Nous allons être embarqués sur un vapeur en partance de Singapour, tandis que vous filerez tous en Chine!

– C'est à Singapour qu'on vous débarque? demanda Xi.

– Visiblement. Avec Borelli. Ils le renvoient en Italie ainsi que son équipage, sous bonne escorte. Pourquoi?

– À Singapour, il y a des bateaux pour toutes les destinations possibles. À l'est comme à l'ouest.

– Merci, je sais. Nous, c'est l'est et l'Amérique.

– Depuis quand obéissez-vous aux ordres? murmura Xu, un sourire ironique aux lèvres.

Portant la main à sa poche, Doug en sortit quelques lingots d'or qu'il avait raflés sur la jonque de Sheng-Fat, dans la rade de l'île de Wenzi. Les derniers rayons ambrés du soleil jouèrent sur le métal, illuminant son visage de reflets dorés, tandis qu'il adressait un grand sourire complice à sa sœur.

L'oncle MacKenzie et Maître Aa profitaient également du crépuscule, sur le kiosque.

– Je ne voudrais pas donner de faux espoir à Rebecca et Douglas, mais j'ai l'impression que Hamish et Elena sont encore en vie. Je suis persuadé que la clé de tout cela est entre les mains de Capulus et du général russe Pougatchev que mentionne le message codé.

– Le général Pougatchev est à la tête d'une armée, capitaine. Une armée de cinq mille hommes. Je vous suggère de gagner Khotan afin de rallier les forces de mes frères et sœurs du chapitre occidental avant de partir à la recherche de quiconque.

Fitzroy MacKenzie et Maître Aa se serrèrent la main, tandis que le submersible accélérait.

– Notre alliance est confirmée, Maître Aa.

Sur le pont, Duchesse dépassa les quatre enfants pour s'installer à la proue du sous-marin, le museau en l'air, flairant déjà les vents desséchés du désert du Xinjiang.

L'AVENTURE CONTINUE...

Retrouvez bientôt Rebecca et Doug
pour la suite de leurs aventures.

Désobéissant à leur oncle, ils décident de repartir
à la recherche de leurs parents.
Mais sont-ils encore en vie ?

La réponse se trouve sans doute
dans la mystérieuse cité d'Ur-Can...

ANNEXES

1   *Le typhon endommage l'Expédient* II

2   *Flore et faune de la région de la mer de Célèbes* IV

3   *Le générateur au zoridium* VI

4   *Objets des archives MacKenzie* VIII

5   *Histoire des gyrolabes et des Sujing Quantou* X

Le typhon endommage l'Expédient

Ci-dessus : L'Expédient *avant le typhon.*

Ci-dessous : Vue du typhon faisant rage du gaillard arrière.

Ci-dessus à droite : Inondation dans la salle des chaudières.

Ci-dessous à droite : Vasto et la Fuite réparent la coque pendant l'échouage sur l'île Australe.

(AM 556-208 EXP)

FLORE ET FAUNE
DE LA RÉGION
DE LA MER DE CÉLÈBES

Études d'animaux et de plantes
présents sur l'archipel de la Soufrière,
tels qu'observés par Doug pendant ses
sorties dans la jungle de l'île Australe.

Carpophage à nuque rousse
Ducula aenae paulina

Géant à ailes en sabre
Graphium androcles

Martin-chasseur à collier
Halcyon chloris

Python réticulé
Python reticulatus

Orchidée papillon « Mariposa »
Phalaenopsis amabilis

Macaque à queue de cochon
Macaca nemestrina

LE GÉNÉRATEUR AU ZORIDIUM

Le générateur au zoridium de Borelli exploitait la capacité du gyrolabe de tourner avec une vitesse et une puissance extraordinaires. Les scientifiques de la Coterie avaient compris que s'ils réussissaient à convertir cette rotation mécanique en énergie électrique, ils pourraient créer une centrale efficace et économique. Malheureusement, le générateur ne fut jamais qu'un gyrolabe de grande taille, et les problèmes non résolus que posait la science antique induite par ces appareils se développèrent à la même échelle. Bien que reposant sur une dangereuse absence de connaissances, le générateur de Borelli fonctionna correctement, produisant de vastes quantités d'énergie propre à partir de minuscules quantités de zoridium. Son projet, retravaillé pour intégrer les corrections de Charlie sur le champ gravitationnel, fut élaboré et construit par les Kalaxx, des experts en technologie minière du début du xxᵉ siècle.

TRADUCTION DES LÉGENDES RUSSES
APPARAISSANT SUR LES PLANS DU GÉNÉRATEUR

1	Fondations	16	Générateur électrique 1
2	Structure en acier du toit	17	Générateur électrique 2
3	Toit en bois	18	Barre d'entraînement 1 (supérieure)
4	Colonnes latérales	19	Barre d'entraînement 2 (supérieure)
5	Bouclier de protection	20	Barre d'entraînement 3 (supérieure)
	contre le champ magnétique	21	Barre d'entraînement 4 (inférieure)
6	Blindage en cuivre	22	Barre d'entraînement 5 (inférieure)
7	Galerie circulaire	23	Barre d'entraînement 6 (inférieure)
8	Plate-forme de contrôle	24	Barre d'alignement 1
9	Appareil de mesure	25	Barre d'alignement 2
10	Bouclier anti-gravitationnel (supérieur)	26	Barre d'alignement 3
11	Noyau de zoridium (supérieur)	27	Amplificateur de champ magnétique
12	Sphère centrale	28	Mécanisme d'alignement des supports
13	Noyau de zoridium (inférieur)		des boucliers anti-gravitationnels
14	Bouclier anti-gravitationnel (inférieur)	29	Moteur de contrôle
15	Supports des boucliers anti-gravitationnels		de l'alignement

OBJETS DES ARCHIVES MACKENZIE

Ci-contre : casque de mineur.

Ci-dessus : fanal utilisé par Doug pendant la bataille.

(AM 00.74852 KAL)

Ci-dessous : grosse projection de lave ramassée par Doug sur le pont du sous-marin de Borelli.

Ci-dessus : boîte de rangement utilisée par Borelli pour stocker les ampoules de zoridium.

(AM 00-9104 CSP)

(AM 00-31277 SOUF)